Collection folio junior

Guy de Maupassant est né en 1850, au château de Miromesnil, en Normandie. Ses parents se séparent alors qu'il est encore enfant. Confié à sa mère ainsi que son jeune frère, il vit désormais à Étretat, dans la propriété familiale. Ces années sont les plus heureuses de son existence. Sa mère veille elle-même sur l'instruction de son fils, s'efforçant de lui faire partager son amour des livres tout en le laissant s'ébattre librement dans les champs et les bois, au bord des falaises, et flâner sur les ports où des marins l'emmènent parfois en mer.

Elle se résigne enfin à l'inscrire au collège, mais l'enfant supporte mal l'enfermement, la grossierté de ses camarades et la discipline, aussi s'isole-t-il pour écrire des vers. Certains raillent si ouvertement ses professeurs, qu'il est renvoyé et doit poursuivre ses études au lycée de Rouen.

L'invasion de la Normandie lui inspirera une nouvelle : *Boule-de-Suif*. Un emploi lui est ensuite offert à Paris, au ministère de la marine, puis au ministère de l'Instruction publique, occupations ingrates auxquelles les promenades en canot qu'il fait chaque dimanche sur la Seine apportent quelque distraction. Mais, surtout, sa mère l'a recommandé à Gustave Flaubert, dont elle a été l'amie d'enfance. L'écrivain lui ouvre les portes de son bureau, dirige ses lectures, le charge de recherches. Maupassant lui soumet bientôt ses premiers manuscrits. Flaubert l'introduit dans la société littéraire. Maupassant collabore alors à divers journaux. Il en dépeindra les salles de rédaction dans *Bel-Ami*. Boule-de-Suif, publié en 1880, rencontre un tel succès qu'il abandonne ses projets de poêmes et de théâtre, pour se consacrer aux nouvelles et aux romans. Dès lors, il ne cesse d'écrire. De 1880 à 1890, il publie six romans dont *Une vie* et seize recueils de nouvelles, dont *La Maison Tellier*, *Mademoiselle Fifi*. Son besoin de solitude est tel qu'il se fait construire une villa à Étretat, dans laquelle il se retire pour écrire. Vers 1885, Maupassant ressent les premiers symptômes de la maladie nerveuse qui l'emportera. Il sombre dans la tristesse, il se croit entouré d'êtres invisibles. C'est à cette époque qu'il écrit *Le Horla*.

On finira par l'interner dans une clinique où il mourra, dix-huit mois plus tard, le 6 juillet 1893.

Philippe Mignon est né en 1948. Il entreprend des études d'architecture, puis décide de se consacrer à l'illustration. Pour Folio Junior, il a déjà successivement chaussé les bottes de sept lieues (*Les Contes de ma mère l'Oye*, Charles Perrault), déménagé à Rungis (*Le Chemin de Rungis*, Christian Léourier), et vendu son ombre (*La Merveilleuse Histoire de Peter Schlemihl*, Adalbert von Chamisso). Il avait bien juré qu'on ne l'y prendrait plus ... Mais pouvait-il ignorer les *Deux amis* ?

Henri Galeron, auteur de la couverture de *Deux amis et autres contes*, est né en 1939 dans les Bouches-du-Rhône. Après des études à l'École des beaux-arts, il illustre un premier livre, en 1973. Depuis cette date, il ne cesse de créer des images, de dessiner des couvertures de livres, de magazines, des pochettes de disques, des affiches... Pour Folio Junior, il a réalisé les couvertures de nombreux livres, parmi lesquels *Les Contes de ma mère l'Oye* de Charles Perrault, *Le Poney rouge* de John Steinbeck, *Le Lion* de Joseph Kessel ou *Le Chat qui parlait malgré lui* de Claude Roy.

ISBN 2-07-051678-4
Loi n°49-956 du 16 juillet 1949
sur les publications destinées à la jeunesse
© Éditions Gallimard, 1991, pour le supplément
© Éditions Gallimard Jeunesse, 1998, pour la présente édition
Dépôt légal : avril 1998
1er dépôt légal dans la même collection : février 1991
N° d'édition : 83532 - N° d'impression : 79923
Imprimé en France sur les presses de l'imprimerie Hérissey

Guy de Maupassant

Deux amis
et autres contes

Illustrations de Philippe Mignon

Gallimard

Deux amis

Paris était bloqué, affamé et râlant. Les moineaux se faisaient bien rares sur les toits, et les égouts se dépeuplaient. On mangeait n'importe quoi.

Comme il se promenait tristement par un clair matin de janvier le long du boulevard extérieur, les mains dans les poches de sa culotte d'uniforme et le ventre vide, M. Morissot, horloger de son état et pantouflard par occasion, s'arrêta net devant un confrère qu'il reconnut pour un ami. C'était M. Sauvage, une connaissance du bord de l'eau.

Chaque dimanche, avant la guerre, Morissot partait dès l'aurore, une canne en bambou d'une main, une boîte de fer-blanc sur le dos. Il prenait le chemin de fer d'Argenteuil, descendait à Colombes, puis gagnait à pied l'île Marante. A peine arrivé en ce lieu de ses rêves, il se mettait à pêcher ; il pêchait jusqu'à la nuit.

Chaque dimanche, il rencontrait là un petit

homme replet et jovial, M. Sauvage, mercier, rue Notre-Dame-de-Lorette, autre pêcheur fanatique. Ils passaient souvent une demi-journée côte à côte, la ligne à la main et les pieds ballants au-dessus du courant ; et ils s'étaient pris d'amitié l'un pour l'autre.

En certains jours, ils ne parlaient pas. Quelquefois ils causaient ; mais ils s'entendaient admirablement sans rien dire, ayant des goûts semblables et des sensations identiques.

Au printemps, le matin, vers dix heures, quand le soleil rajeuni faisait flotter sur le fleuve tranquille cette petite buée qui coule avec l'eau, et versait dans le dos des deux enragés pêcheurs une bonne chaleur de saison nouvelle, Morissot parfois disait à son voisin : « Hein ! quelle douceur ! » et M. Sauvage répondait : « Je ne connais rien de meilleur. » Et cela leur suffisait pour se comprendre et s'estimer.

A l'automne, vers la fin du jour, quand le ciel ensanglanté par le soleil couchant jetait dans l'eau des figures de nuages écarlates, empourprait le fleuve entier, enflammait l'horizon, faisait rouges comme du feu les deux amis, et dorait les arbres roussis déjà, frémissants d'un frisson d'hiver, M. Sauvage regardait en souriant Morissot et prononçait : « Quel spectacle ! » Et Morissot émerveillé répondait, sans quitter son flotteur : « Cela vaut mieux que le boulevard, hein ? »

Dès qu'ils se furent reconnus, ils se serrèrent

les mains énergiquement, tout émus de se retrouver en des circonstances si différentes. M. Sauvage, poussant un soupir, murmura :

– En voilà des événements !

Morissot, très morne, gémit :

– Et quel temps ! C'est aujourd'hui le premier beau jour de l'année.

Le ciel était, en effet, tout bleu et plein de lumière.

Ils se mirent à marcher côte à côte, rêveurs et tristes. Morissot reprit :

– Et la pêche ? hein ! quel bon souvenir !

M. Sauvage demanda :

– Quand y retournerons-nous ?

Ils entrèrent dans un petit café et burent ensemble une absinthe ; puis ils se remirent à se promener sur les trottoirs.

Morissot s'arrêta soudain :

– Une seconde verte, hein ?

M. Sauvage y consentit :

– A votre disposition.

Et ils pénétrèrent chez un autre marchand de vins.

Ils étaient fort étourdis en sortant, troublés comme des gens à jeun dont le ventre est plein d'alcool. Il faisait doux. Une brise caressante leur chatouillait le visage.

M. Sauvage, que l'air tiède achevait de griser, s'arrêta :

– Si on y allait ?

– Où ça ?

– A la pêche, donc.

– Mais où ?

– Mais à notre île. Les avant-postes français sont auprès de Colombes. Je connais le colonel Dumoulin ; on nous laissera passer facilement.

Morissot frémit de désir :

– C'est dit. J'en suis.

Et ils se séparèrent pour prendre leurs instruments.

Une heure après, ils marchaient côte à côte sur la grand'route. Puis ils gagnèrent la villa qu'occupait le colonel. Il sourit de leur demande et consentit à leur fantaisie. Ils se remirent en marche, munis d'un laissez-passer.

Bientôt ils franchirent les avant-postes, traversèrent Colombes abandonné, et se trouvèrent au bord des petits champs de vigne qui descendent vers la Seine. Il était environ onze heures.

En face, le village d'Argenteuil semblait mort. Les hauteurs d'Orgemont et de Sannois dominaient tout le pays. La grande plaine qui va jusqu'à Nanterre était vide, toute vide, avec ses cerisiers nus et ses terres grises.

M. Sauvage, montrant du doigt les sommets, murmura :

– Les Prussiens sont là-haut !

Et une inquiétude paralysait les deux amis devant ce pays désert.

« Les Prussiens ! » Ils n'en avaient jamais aperçu, mais ils les sentaient là depuis des mois, autour de Paris, ruinant la France, pillant, massacrant, affamant, invisibles et tout-puissants. Et une sorte de terreur superstitieuse s'ajoutait à la haine qu'ils avaient pour ce peuple inconnu et victorieux.

Morissot balbutia :

– Hein ! si nous allions en rencontrer ?

M. Sauvage répondit, avec cette gouaillerie parisienne reparaissant malgré tout :

– Nous leur offririons une friture.

Mais ils hésitaient à s'aventurer dans la campagne, intimidés par le silence de tout l'horizon.

A la fin, M. Sauvage se décida :

– Allons, en route ! mais avec précaution.

Et ils descendirent dans un champ de vigne, courbés en deux, rampant, profitant des buissons pour se couvrir, l'œil inquiet, l'oreille tendue.

Une bande de terre nue restait à traverser pour gagner le bord du fleuve. Ils se mirent à courir ; et dès qu'ils eurent atteint la berge, ils se blottirent dans les roseaux secs.

Morissot colla sa joue par terre pour écouter si on ne marchait pas dans les environs. Il n'entendit rien. Ils étaient bien seuls, tout seuls.

Ils se rassurèrent et se mirent à pêcher.

En face d'eux l'île Marante abandonnée les cachait à l'autre berge. La petite maison du restaurant était close, semblait délaissée depuis des années.

M. Sauvage prit le premier goujon, Morissot attrapa le second, et d'instant en instant ils levaient leurs lignes avec une petite bête argentée frétillant au bout du fil : une vraie pêche miraculeuse.

Ils introduisaient délicatement les poissons dans une poche de filet à mailles très serrées, qui trempait à leurs pieds. Et une joie délicieuse les pénétrait, cette joie qui vous saisit quand on retrouve un plaisir aimé dont on est privé depuis longtemps.

Le bon soleil leur coulait sa chaleur entre les épaules ; ils n'écoutaient plus rien ; il ne pensaient plus à rien ; ils ignoraient le reste du monde ; ils pêchaient.

Mais soudain un bruit sourd qui semblait venir de sous terre fit trembler le sol. Le canon se remettait à tonner.

Morissot tourna la tête, et par-dessus la berge il aperçut, là-bas, sur la gauche, la grande silhouette du Mont-Valérien, qui portait au front une aigrette blanche, une buée de poudre qu'il venait de cracher.

Et aussitôt un second jet de fumée partit du sommet de la forteresse ; et quelques instants après une nouvelle détonation gronda.

Puis d'autres suivirent et, de moment en moment, la montagne jetait son haleine de mort, soufflait ses vapeurs laiteuses qui s'élevaient lentement dans le ciel calme, faisaient un nuage au-dessus d'elle.

M. Sauvage haussa les épaules :

– Voilà qu'ils recommencent, dit-il.

Morissot, qui regardait anxieusement plonger

coup sur coup la plume de son flotteur, fut pris soudain d'une colère d'homme paisible contre ces enragés qui se battaient ainsi, et il grommela :

– Faut-il être stupide pour se tuer comme ça.

M. Sauvage reprit :

– C'est pis que des bêtes.

Et Morissot, qui venait de saisir une ablette, déclara :

– Et dire que ce sera toujours ainsi tant qu'il y aura des gouvernements.

M. Sauvage l'arrêta :

– La République n'aurait pas déclaré la guerre.

Morissot l'interrompit :

– Avec les rois on a la guerre au-dehors ; avec la République on a la guerre au-dedans.

Et tranquillement ils se mirent à discuter, débrouillant les grands problèmes politiques avec une raison saine d'hommes doux et bornés, tombant d'accord sur ce point, qu'on ne serait jamais libres. Et le Mont-Valérien tonnait sans repos, démolissant à coups de boulet des maisons françaises, broyant des vies, écrasant des êtres, mettant fin à bien des rêves, à bien des joies attendues, à bien des bonheurs espérés, ouvrant en des cœurs de femmes, en des cœurs de filles, en des cœurs de mères, là-bas, en d'autres pays, des souffrances qui ne finiraient plus.

– C'est la vie, déclara M. Sauvage.

– Dites plutôt que c'est la mort, reprit en riant Morissot.

Mais ils tressaillirent effarés, sentant bien

qu'on venait de marcher derrière eux ; et ayant tourné les yeux, ils aperçurent, debout contre leurs épaules, quatre hommes, quatre grands hommes armés et barbus, vêtus comme des domestiques en livrée et coiffés de casquettes plates, les tenant en joue au bout de leurs fusils.

Les deux lignes s'échappèrent de leurs mains et se mirent à descendre la rivière.

En quelques secondes, ils furent saisis, attachés, emportés, jetés dans une barque et passés dans l'île.

Et derrière la maison qu'ils avaient crue abandonnée, ils aperçurent une vingtaine de soldats allemands.

Une sorte de géant velu, qui fumait, à cheval sur une chaise, une grande pipe de porcelaine, leur demanda, en excellent français :

– Eh bien, messieurs, avez-vous fait bonne pêche ?

Alors un soldat déposa aux pieds de l'officier le filet plein de poissons, qu'il avait eu soin d'emporter. Le Prussien sourit :

– Eh ! eh ! je vois que ça n'allait pas mal. Mais il s'agit d'autre chose. Écoutez-moi et ne vous troublez pas.

« Pour moi, vous êtes deux espions envoyés pour me guetter. Je vous prends et je vous fusille. Vous faisiez semblant de pêcher, afin de mieux dissimuler vos projets. Vous êtes tombés entre mes mains, tant pis pour vous ; c'est la guerre.

« Mais comme vous êtes sortis par les avant-

postes, vous avez assurément un mot d'ordre pour rentrer. Donnez-moi ce mot d'ordre et je vous fais grâce.

Les deux amis, livides, côte à côte, les mains agitées d'un léger tremblement nerveux, se taisaient.

L'officier reprit :

– Personne ne le saura jamais, vous rentrerez paisiblement. Le secret disparaîtra avec vous. Si vous refusez, c'est la mort, et tout de suite. Choisissez.

Ils demeuraient immobiles sans ouvrir la bouche.

Le Prussien, toujours calme, reprit en étendant la main vers la rivière :

– Songez que dans cinq minutes vous serez au fond de cette eau. Dans cinq minutes ! Vous devez avoir des parents ?

Le Mont-Valérien tonnait toujours.

Les deux pêcheurs restaient debout et silencieux. L'Allemand donna des ordres dans sa langue. Puis il changea sa chaise de place pour ne pas se trouver trop près des prisonniers, et douze hommes vinrent se placer à vingt pas, le fusil au pied.

L'officier reprit :

– Je vous donne une minute, pas deux secondes de plus.

Puis il se leva brusquement, s'approcha des deux Français, prit Morissot sous le bras, l'entraîna plus loin, lui dit à voix basse :

– Vite, ce mot d'ordre ? Votre camarade ne saura rien, j'aurai l'air de m'attendrir.

Morissot ne répondit rien.

Le Prussien entraîna alors M. Sauvage et lui posa la même question.

M. Sauvage ne répondit pas.

Ils se retrouvèrent côte à côte.

Et l'officier se mit à commander. Les soldats élevèrent leurs armes.

Alors le regard de Morissot tomba par hasard sur le filet plein de goujons, resté dans l'herbe, à quelques pas de lui.

Un rayon de soleil faisait briller le tas de poissons qui s'agitaient encore. Et une défaillance l'envahit. Malgré ses efforts, ses yeux s'emplirent de larmes.

Il balbutia :

– Adieu, monsieur Sauvage.

M. Sauvage répondit :

– Adieu, monsieur Morissot.

Ils se serrèrent la main, secoués des pieds à la tête par d'invincibles tremblements.

L'officier cria : « Feu ! »

Les douze coups n'en firent qu'un.

M. Sauvage tomba d'un bloc sur le nez. Morissot, plus grand, oscilla, pivota et s'abattit en travers sur son camarade, le visage au ciel, tandis que des bouillons de sang s'échappaient de sa tunique crevée à la poitrine.

L'Allemand donna de nouveaux ordres.

Ses hommes se dispersèrent, puis revinrent

avec des cordes et des pierres qu'ils attachèrent aux pieds des deux morts ; puis ils les portèrent sur la berge.

Le Mont-Valérien ne cessait pas de gronder, coiffé maintenant d'une montagne de fumée.

Deux soldats prirent Morissot par la tête et par les jambes ; deux autres saisirent M. Sauvage de la même façon. Les corps, un instant balancés avec force, furent lancés au loin, décrivirent une courbe, puis plongèrent, debout, dans le fleuve, les pierres entraînant les pieds d'abord.

L'eau rejaillit, bouillonna, frissonna, puis se calma, tandis que de toutes petites vagues s'en venaient jusqu'aux rives.

Un peu de sang flottait.

L'officier, toujours serein, dit à mi-voix :

– C'est le tour des poissons maintenant.

Puis il revint vers la maison.

Et soudain il aperçut le filet aux goujons dans l'herbe. Il le ramassa, l'examina, sourit, cria :

– Wilhem !

Un soldat accourut, en tablier blanc. Et le Prussien, lui jetant la pêche des deux fusillés, commanda :

– Fais-moi frire tout de suite ces petits animaux-là pendant qu'ils sont encore vivants. Ce sera délicieux.

Puis il se remit à fumer sa pipe.

Le voleur

Puisque je vous dis qu'on ne la croira pas.

– Racontez tout de même.

– Je le veux bien. Mais j'éprouve d'abord le besoin de vous affirmer que mon histoire est vraie en tous points, quelque invraisemblable qu'elle paraisse. Les peintres seuls ne s'étonneront point, surtout les vieux qui ont connu cette époque où l'esprit farceur sévissait si bien qu'il nous hantait encore dans les circonstances les plus graves.

Et le vieil artiste se mit à cheval sur une chaise.

Ceci se passait dans la salle à manger d'un hôtel de Barbizon.

Il reprit :

★

Donc nous avions dîné ce soir-là chez le pauvre Sorieul, aujourd'hui mort, le plus enragé de nous. Nous étions trois seulement : Sorieul, moi et Le Poittevin, je crois ; mais je n'oserais affirmer que c'était lui. Je parle, bien entendu, du peintre de marine Eugène Le Poittevin, mort aussi, et non du paysagiste, bien vivant et plein de talent.

Dire que nous avions dîné chez Sorieul, cela signifie que nous étions gris. Le Poittevin seul avait gardé sa raison, un peu noyée il est vrai, mais claire encore. Nous étions jeunes, en ce temps-là. Étendus sur des tapis, nous discourions extravagamment dans la petite chambre qui touchait à l'atelier. Sorieul, le dos à terre, les jambes sur une chaise, parlait bataille, discourait sur les uniformes de l'Empire, et soudain se levant, il prit dans sa grande armoire aux accessoires une tenue complète de hussard, et s'en revêtit. Après quoi il contraignit Le Poittevin à se costumer en grenadier. Et comme celui-ci résistait, nous l'empoignâmes, et, après l'avoir déshabillé, nous l'introduisîmes dans un uniforme immense où il fut englouti.

Je me déguisai moi-même en cuirassier. Et Sorieul nous fit exécuter un mouvement compliqué. Puis il s'écria :

– Puisque nous sommes ce soir des soudards, buvons comme des soudards.

Un punch fut allumé, avalé, puis une seconde fois la flamme s'éleva sur le bol rempli de rhum. Et nous chantions à pleine gueule des chansons anciennes, des chansons que braillaient jadis les vieux troupiers de la grande armée.

Tout à coup Le Poittevin, qui restait, malgré tout, presque maître de lui, nous fit taire, puis, après un silence de quelques secondes, il dit à mi-voix :

– Je suis sûr qu'on a marché dans l'atelier.

Sorieul se leva comme il put, et s'écria :

– Un voleur ! quelle chance !

Puis, soudain, il entonna *La Marseillaise* :

Aux armes, citoyens !

Et, se précipitant sur une panoplie, il nous équipa, selon nos uniformes. J'eus une sorte de mousquet et un sabre ; Le Poittevin, un gigantesque fusil à baïonnette, et Sorieul, ne trouvant pas ce qu'il fallait, s'empara d'un pistolet d'arçon qu'il glissa dans sa ceinture, et d'une hache d'abordage qu'il brandit. Puis il ouvrit avec précaution la porte de l'atelier, et l'armée entra sur le territoire suspect.

Quand nous fûmes au milieu de la vaste pièce encombrée de toiles immenses, de meubles, d'objets singuliers et inattendus, Sorieul nous dit :

– Je me nomme général. Tenons un conseil de guerre. Toi, les cuirassiers, tu vas couper la retraite à l'ennemi, c'est-à-dire donner un tour de clef à la porte. Toi, les grenadiers, tu seras mon escorte.

J'exécutai le mouvement commandé, puis je rejoignis le gros des troupes qui opérait une reconnaissance.

Au moment où j'allais le rattraper derrière un grand paravent, un bruit furieux éclata. Je m'élançai, portant toujours une bougie à la main. Le Poittevin venait de traverser d'un coup de baïonnette la poitrine d'un mannequin dont Sorieul fendait la tête à coups de hache. L'erreur reconnue, le général commanda : « Soyons prudents », et les opérations recommencèrent.

Depuis vingt minutes au moins on fouillait tous les coins et recoins de l'atelier, sans succès, quand Le Poittevin eut l'idée d'ouvrir un immense placard. Il était sombre et profond, j'avançai mon bras qui tenait la lumière, et je reculai stupéfait ; un homme était là, un homme vivant, qui m'avait regardé.

Immédiatement, je refermai le placard à deux tours de clef, et on tint de nouveau conseil.

Les avis étaient très partagés. Sorieul voulait enfermer le voleur, Le Poittevin parlait de le prendre par la famine. Je proposai de faire sauter le placard avec de la poudre.

L'avis de Le Poittevin prévalut ; et, pendant qu'il montait la garde avec son grand fusil, nous allâmes chercher le reste du punch et nos pipes, puis on s'installa devant la porte fermée, et on but au prisonnier.

Au bout d'une demi-heure, Sorieul dit :

– C'est égal, je voudrais bien le voir de près. Si nous nous emparions de lui par la force ?

Je criai :

– Bravo !

Chacun s'élança sur ses armes ; la porte du placard fut ouverte, et Sorieul, armant son pistolet qui n'était pas chargé, se précipita le premier.

Nous le suivîmes en hurlant. Ce fut une bousculade effroyable dans l'ombre ; et après cinq minutes d'une lutte invraisemblable, nous ramenâmes au jour une sorte de vieux bandit à cheveux blancs, sordide et déguenillé.

On lui lia les pieds et les mains, puis on l'assit dans un fauteuil. Il ne prononça pas une parole.

Alors Sorieul, pénétré d'une ivresse solennelle, se tourna vers nous :

– Maintenant nous allons juger ce misérable.

J'étais tellement gris que cette proposition me parut toute naturelle.

Le Poittevin fut chargé de présenter la défense et moi de soutenir l'accusation.

Il fut condamné à mort à l'unanimité moins une voix, celle de son défenseur.

– Nous allons l'exécuter, dit Sorieul. Mais un scrupule lui vint : cet homme ne doit pas mourir privé des secours de la religion. Si on allait chercher un prêtre ?

J'objectai qu'il était tard. Alors Sorieul me proposa de remplir cet office ; et il exhorta le criminel à se confesser dans mon sein.

L'homme, depuis cinq minutes, roulait des yeux épouvantés, se demandant à quel genre d'êtres il avait affaire. Alors il articula d'une voix creuse, brûlée par l'alcool :

– Vous voulez rire, sans doute.

Mais Sorieul l'agenouilla de force, et, par crainte que ses parents eussent omis de le faire baptiser, il lui versa sur le crâne un verre de rhum.

Puis il dit :

– Confesse-toi à monsieur ; ta dernière heure a sonné.

Éperdu, le vieux gredin se mit à crier : « Au secours ! » avec une telle force qu'on fut contraint de le bâillonner pour ne pas réveiller tous les voisins.

Alors il se roula par terre, ruant et se tordant, renversant les meubles, crevant les toiles. A la fin, Sorieul, impatienté, cria :

– Finissons-en.

Et visant le misérable étendu par terre, il pressa la détente de son pistolet. Le chien tomba avec un petit bruit sec. Emporté par l'exemple, je tirai à mon tour. Mon fusil, qui était à pierre, lança une étincelle dont je fus surpris.

Alors Le Poittevin prononça gravement ces paroles :

– Avons-nous bien le droit de tuer cet homme ?

Sorieul, stupéfait, répondit :

– Puisque nous l'avons condamné à mort !

Mais Le Poittevin reprit :

– On ne fusille pas les civils, celui-ci doit être livré au bourreau. Il faut le conduire au poste.

L'argument nous parut concluant. On ramassa l'homme et, comme il ne pouvait marcher, il fut placé sur une planche de table à modèle, solidement attaché, et je l'emportai avec Le Poittevin, tandis que Sorieul, armé jusqu'aux dents, fermait la marche.

Devant le poste, la sentinelle nous arrêta. Le chef de poste, mandé, nous reconnut, et, comme chaque jour il était témoin de nos farces, de nos scies, de nos inventions invraisemblables, il se contenta de rire et refusa notre prisonnier.

Sorieul insista : alors le soldat nous invita sévèrement à retourner chez nous sans faire de bruit.

La troupe se remit en route et rentra dans l'atelier. Je demandai :

— Qu'allons-nous faire du voleur ?

Le Poittevin, attendri, affirma qu'il devait être bien fatigué, cet homme. En effet, il avait l'air agonisant, ainsi ficelé, bâillonné, ligaturé sur sa planche.

Je fus pris à mon tour d'une pitié violente, une pitié d'ivrogne, et, enlevant son bâillon, je lui demandai :

— Eh bien, mon pauv'vieux, comment ça va-t-il ?

Il gémit :

— J'en ai assez, nom d'un chien !

Alors Sorieul devint paternel. Il le délivra de tous ses liens, le fit asseoir, le tutoya, et, pour le réconforter, nous nous mîmes tous trois à préparer bien vite un nouveau punch. Le voleur, tranquille dans son fauteuil, nous regardait. Quand la boisson fut prête, on lui tendit un verre ; nous lui aurions volontiers soutenu la tête, et on trinqua.

Le prisonnier but autant qu'un régiment. Mais, comme le jour commençait à paraître, il se leva, et, d'un air fort calme :

– Je vais être obligé de vous quitter, parce qu'il faut que je rentre chez moi.

Nous fûmes désolés ; on voulut le retenir encore, mais il se refusa à rester plus longtemps.

Alors on se serra la main, et Sorieul, avec sa bougie, l'éclaira dans le vestibule, en criant :

– Prenez garde à la marche sous la porte cochère.

★

On riait franchement autour du conteur. Il se leva, alluma sa pipe, et il ajouta, en se campant en face de nous :

– Mais le plus drôle de mon histoire, c'est qu'elle est vraie.

La mère Sauvage

A Georges Pouchet

I

Je n'étais point revenu à Virelogne depuis quinze ans. J'y retournai chasser, à l'automne, chez mon ami Serval, qui avait enfin fait reconstruire son château, détruit par les Prussiens.

J'aimais ce pays infiniment. Il est des coins du monde délicieux qui ont pour les yeux un charme sensuel. On les aime d'un amour physique. Nous gardons, nous autres que séduit la terre, des souvenirs tendres pour certaines sources, certains bois, certains étangs, certaines collines, vus souvent et qui nous ont attendris à la façon des événements heureux. Quelquefois même la pensée retourne vers un coin de forêt, ou un bout de berge, ou un verger poudré de fleurs, aperçus une seule fois, par un jour gai, et restés en notre cœur comme ces images de femmes rencontrées dans la rue, un matin de printemps, avec une toilette claire et transparente, et qui nous laissent dans l'âme et dans la chair un désir inapaisé, inoubliable, la sensation du bonheur coudoyé.

A Virelogne, j'aimais toute la campagne, semée de petits bois et traversée par des ruisseaux qui couraient dans le sol comme des veines, portant le sang à la terre. On pêchait là-dedans des écrevisses, des truites et des anguilles ! Bonheur divin ! On pouvait se baigner par places, et on trouvait souvent des bécassines dans les hautes herbes qui poussaient sur les bords de ces minces cours d'eau.

J'allais, léger comme une chèvre, regardant mes deux chiens fourrager devant moi. Serval, à cent mètres sur ma droite, battait un champ de luzerne. Je tournai les buissons qui forment la limite du bois des Saudres, et j'aperçus une chaumière en ruines.

Tout à coup, je me la rappelai telle que je l'avais vue pour la première fois, en 1869, propre, vêtue de vignes, avec des poules devant la porte. Quoi de plus triste qu'une maison morte, avec son squelette debout, délabré, sinistre ?

Je me rappelai aussi qu'une bonne femme m'avait fait boire un verre de vin là-dedans, un jour de grande fatigue, et que Serval m'avait dit alors l'histoire des habitants. Le père, vieux braconnier, avait été tué par les gendarmes. Le fils, que j'avais vu autrefois, était un grand garçon sec qui passait également pour un féroce destructeur de gibier. On les appelait les Sauvage.

Était-ce un nom ou un sobriquet ?

Je hélai Serval. Il s'en vint de son long pas d'échassier.

Je lui demandai :

– Que sont devenus les gens de là ?

Et il me conta cette aventure.

II

Lorsque la guerre fut déclarée, le fils Sauvage, qui avait alors trente-trois ans, s'engagea, laissant la mère seule au logis. On ne la plaignait pas trop, la vieille, parce qu'elle avait de l'argent, on le savait.

Elle resta donc toute seule dans cette maison isolée si loin du village, sur la lisière du bois. Elle n'avait pas peur, du reste, étant de la même race que ses hommes, une rude vieille, haute et maigre, qui ne riait pas souvent et avec qui on ne plaisantait point. Les femmes des champs ne rient guère d'ailleurs. C'est affaire aux hommes, cela ! Elles ont l'âme triste et bornée, ayant une vie morne et sans éclaircie. Le paysan apprend un peu de gaieté bruyante au cabaret, mais sa compagne reste sérieuse avec une physionomie constamment sévère. Les muscles de leur face n'ont point appris les mouvements du rire.

La mère Sauvage continua son existence ordinaire dans sa chaumière, qui fut bientôt couverte par les neiges. Elle s'en venait au village, une fois par semaine, chercher du pain et un peu de viande ; puis elle retournait dans sa masure. Comme on parlait des loups, elle sortait le fusil au dos, le fusil du fils, rouillé, avec la crosse usée par le frottement de la main ; et elle était curieuse à voir, la grande Sauvage, un peu courbée, allant à lentes enjambées par la neige, le canon de l'arme dépassant la coiffe noire qui lui serrait la tête et emprisonnait ses cheveux blancs, que personne n'avait jamais vus.

Un jour les Prussiens arrivèrent. On les distribua aux habitants, selon la fortune et les ressources de chacun. La vieille, qu'on savait riche, en eut quatre.

C'étaient quatre gros garçons à la chair blonde, à la barbe blonde, aux yeux bleus, demeurés gras malgré les fatigues qu'ils avaient endurées déjà, et bons enfants, bien qu'en pays conquis. Seuls chez cette femme âgée, ils se montrèrent pleins de prévenances pour elle, lui épargnant, autant qu'ils le pouvaient, des fatigues et des dépenses. On les voyait tous les quatre faire leur toilette autour du puits, le matin, en manches de chemise, mouillant à grande eau, dans le jour cru des neiges, leur chair blanche et rose d'hommes du Nord, tandis que la mère Sauvage allait et venait, préparant la soupe. Puis on les voyait nettoyer la cuisine, frotter les carreaux, casser du bois, éplucher les pommes de terre, laver le linge, accomplir toutes les besognes de la maison, comme quatre bons fils autour de leur mère.

Mais elle pensait sans cesse au sien, la vieille, à son grand maigre au nez crochu, aux yeux bruns, à la forte moustache qui faisait sur sa lèvre un bourrelet de poils noirs. Elle demandait chaque jour, à chacun des soldats installés à son foyer :

— Savez-vous où est parti le régiment français, vingt-troisième de marche ? Mon garçon est dedans.

Ils répondaient :

— Non, bas su, bas savoir tu tout.

Et, comprenant sa peine et ses inquiétudes, eux qui avaient des mères là-bas, ils lui rendaient mille petits soins. Elle les aimait bien, d'ailleurs, ses quatre ennemis ; car les paysans n'ont guère les haines patriotiques ; cela n'appartient qu'aux classes supérieures. Les humbles, ceux qui paient le plus parce qu'ils sont pauvres et que toute charge nouvelle les accable, ceux qu'on tue par masses, qui forment la vraie chair à canon, parce qu'ils sont le nombre, ceux qui souffrent enfin le plus cruellement des atroces misères de la guerre, parce qu'ils sont les plus faibles et les moins résistants, ne comprennent guère ces ardeurs belliqueuses, ce point d'honneur excitable et ces prétendues combinaisons politiques qui épuisent en six mois deux nations, la victorieuse comme la vaincue.

On disait dans le pays, en parlant des Allemands de la mère Sauvage :

– En v'là quatre qu'ont trouvé leur gîte.

Or, un matin, comme la vieille femme était seule au logis, elle aperçut au loin dans la plaine un homme qui venait vers sa demeure. Bientôt elle le reconnut, c'était le piéton chargé de distribuer les lettres. Il lui remit un papier plié et elle tira de son étui les lunettes dont elle se servait pour coudre ; puis elle lut :

Madame Sauvage, la présente est pour vous porter une triste nouvelle. Votre garçon Victor a été tué hier par un boulet, qui l'a censément coupé en deux parts. J'étais tout près, vu que nous nous trouvions côte à côte dans la compagnie et qu'il me parlait de vous pour vous prévenir au jour même s'il lui arrivait malheur.

J'ai pris dans sa poche sa montre pour vous la reporter quand la guerre sera finie.

Je vous salue amicalement.

CÉSAIRE RIVOT,
Soldat de 2e classe au 23e de marche.

La lettre était datée de trois semaines.

Elle ne pleurait point. Elle demeurait immobile, tellement saisie, hébétée, qu'elle ne souffrait même pas encore. Elle pensait : « V'la Victor qu'est tué, maintenant. » Puis peu à peu les larmes montèrent à ses yeux, et la douleur envahit son cœur. Les idées lui venaient une à une, affreuses, torturantes. Elle ne l'embrasserait plus, son enfant, son grand, plus jamais ! Les gendarmes avaient tué le père, les Prussiens avaient tué le fils... Il avait été coupé en deux par un boulet. Et il lui semblait qu'elle voyait la chose, la chose horrible : la tête tombant, les yeux ouverts, tandis qu'il mâchait le coin de sa grosse moustache, comme il faisait aux heures de colère.

Qu'est-ce qu'on avait fait de son corps, après ? Si seulement on lui avait rendu son enfant, comme on lui avait rendu son mari, avec sa balle au milieu du front ?

Mais elle entendit un bruit de voix. C'étaient les Prussiens qui revenaient du village. Elle cacha bien vite la lettre dans sa poche et elle les reçut tranquillement avec sa figure ordinaire, ayant eu le temps de bien essuyer ses yeux.

Ils riaient tous les quatre, enchantés, car ils rapportaient un beau lapin, volé sans doute, et ils faisaient signe à la vieille qu'on allait manger quelque chose de bon.

Elle se mit tout de suite à la besogne pour préparer le déjeuner ; mais, quand il fallut tuer le lapin, le cœur lui manqua. Ce n'était pas le premier pourtant ! Un des soldats l'assomma d'un coup de poing derrière les oreilles.

Une fois la bête morte, elle fit sortir le corps rouge de la peau ; mais la vue du sang qu'elle maniait, qui lui couvrait les mains, du sang tiède qu'elle sentait se refroidir et se coaguler, la faisait trembler de la tête aux pieds ; et elle voyait toujours son grand coupé en deux, et tout rouge aussi, comme cet animal encore palpitant.

Elle se mit à table avec ses Prussiens, mais elle ne put manger, pas même une bouchée. Ils dévorèrent le lapin sans s'occuper d'elle. Elle les regardait de côté, sans parler, mûrissant une idée, et le visage tellement impassible qu'ils ne s'aperçurent de rien.

Tout à coup, elle demanda :

– Je ne sais seulement point vos noms, et v'la un mois que nous sommes ensemble.

Ils comprirent, non sans peine, ce qu'elle voulait, et dirent leurs noms. Cela ne lui suffisait pas ; elle se les fit écrire sur un papier, avec l'adresse de leurs familles, et, reposant ses lunettes sur son grand nez, elle considéra cette écriture inconnue, puis elle plia la feuille et la mit dans sa poche, par-dessus la lettre qui lui disait la mort de son fils.

Quand le repas fut fini, elle dit aux hommes :

– J'vas travailler pour vous.

Et elle se mit à monter du foin dans le grenier où ils couchaient.

Ils s'étonnèrent de cette besogne ; elle leur expliqua qu'ils auraient moins froid ; et ils l'aidèrent. Ils entassaient les bottes jusqu'au toit de paille ; et ils se firent ainsi une sorte de grande chambre avec quatre murs de fourrage, chaude et parfumée, où ils dormiraient à merveille.

Au dîner, un d'eux s'inquiéta de voir que la mère Sauvage ne mangeait point encore. Elle affirma qu'elle avait des crampes. Puis elle alluma un bon feu pour se chauffer, et les quatre Allemands montèrent dans leur logis par l'échelle qui leur servait tous les soirs.

Dès que la trappe fut refermée, la vieille enleva l'échelle, puis rouvrit sans bruit la porte du dehors, et elle retourna chercher des bottes de paille dont elle emplit sa cuisine. Elle allait nu-pieds, dans la neige, si doucement qu'on n'entendait rien. De temps en temps elle écoutait les ronflements sonores et inégaux des quatre soldats endormis.

Quand elle jugea suffisants ses préparatifs, elle jeta dans le foyer une des bottes, et, lorsqu'elle fut enflammée, elle l'éparpilla sur les autres, puis elle ressortit et regarda.

Une clarté violente illumina en quelques secondes tout l'intérieur de la chaumière, puis ce fut un brasier effroyable, un gigantesque four ardent, dont la lueur jaillissait par l'étroite fenêtre et jetait sur la neige un éclatant rayon.

Puis un grand cri partit du sommet de la maison, puis ce fut une clameur de hurlements humains, d'appels déchirants d'angoisse et d'épouvante. Puis, la trappe s'étant écroulée à l'intérieur, un tourbillon de feu s'élança dans le grenier, perça le toit de paille, monta dans le ciel comme une immense flamme de torche ; et toute la chaumière flamba.

On n'entendait plus rien dedans que le crépitement de l'incendie, le craquement des murs, l'écroulement des poutres. Le toit tout à coup s'effondra, et la carcasse ardente de la demeure lança dans l'air, au milieu d'un nuage de fumée, un grand panache d'étincelles.

La campagne, blanche, éclairée par le feu, luisait comme une nappe d'argent teintée de rouge.

Une cloche, au loin, se mit à sonner.

La vieille Sauvage restait debout, devant son logis détruit, armée de son fusil, celui du fils, de crainte qu'un des hommes n'échappât.

Quand elle vit que c'était fini, elle jeta son arme dans le brasier. Une détonation retentit.

Des gens arrivaient, des paysans, des Prussiens.

On trouva la femme assise sur un tronc d'arbre, tranquille et satisfaite.

Un officier allemand, qui parlait le français comme un fils de France, lui demanda :

– Où sont vos soldats ?

Elle tendit son bras maigre vers l'amas rouge de l'incendie qui s'éteignait, et elle répondit d'une voix forte :

– Là-dedans !

On se pressait autour d'elle. Le Prussien demanda :

– Comment le feu a-t-il pris ?

Elle prononça :

– C'est moi qui l'ai mis.

On ne la croyait pas, on pensait que le désastre l'avait soudain rendue folle. Alors, comme tout le monde l'entourait et l'écoutait, elle dit la chose d'un bout à l'autre, depuis l'arrivée de la lettre jusqu'au dernier cri des hommes flambés avec sa maison. Elle n'oublia pas un détail de ce qu'elle avait ressenti ni de ce qu'elle avait fait.

Quand elle eut fini, elle tira de sa poche deux papiers, et, pour les distinguer aux dernières lueurs du feu, elle ajusta encore ses lunettes, puis elle prononça, montrant l'un :

– Ça, c'est la mort de Victor.

Montrant l'autre, elle ajouta, en désignant les ruines rouges d'un coup de tête :

– Ça, c'est leurs noms pour qu'on écrive chez eux.

Elle tendit tranquillement la feuille blanche à l'officier, qui la tenait par les épaules, et elle reprit :

– Vous écrirez comment c'est arrivé, et vous direz à leurs parents que c'est moi qui a fait ça. Victoire Simon, la Sauvage ! N'oubliez pas.

L'officier criait des ordres en allemand. On la saisit, on la jeta contre les murs encore chauds de son logis. Puis douze hommes se rangèrent vivement en face d'elle, à vingt mètres. Elle ne bougea point. Elle avait compris ; elle attendait.

Un ordre retentit, qu'une longue détonation suivit aussitôt. Un coup attardé partit tout seul, après les autres.

La vieille ne tomba point. Elle s'affaissa comme si on lui eût fauché les jambes.

L'officier prussien s'approcha. Elle était presque coupée en deux, et dans sa main crispée elle tenait sa lettre baignée de sang.

Mon ami Serval ajouta :

– C'est par représailles que les Allemands ont détruit le château du pays, qui m'appartenait.

Moi, je pensais aux mères des quatre doux garçons brûlés là-dedans ; et à l'héroïsme atroce de cette autre mère, fusillée contre ce mur.

Et je ramassai une petite pierre, encore noircie par le feu.

L'aventure
de Walter Schnaffs

A Robert Pinchon

Depuis son entrée en France avec l'armée d'invasion, Walter Schnaffs se jugeait le plus malheureux des hommes. Il était gros, marchait avec peine, soufflait beaucoup et souffrait affreusement des pieds qu'il avait fort plats et fort gras. Il était en outre pacifique et bienveillant, nullement magnanime ou sanguinaire, père de quatre enfants qu'il adorait et marié avec une jeune femme blonde, dont il regrettait désespérément chaque soir les tendresses, les petits soins et les baisers. Il aimait se lever tard et se coucher tôt, manger lentement de bonnes choses et boire de la bière dans les brasseries. Il songeait en outre que tout ce qui est doux dans l'existence disparaît avec la vie ; et il gardait au cœur une haine épouvantable, instinctive et raisonnée en même temps, pour les canons, les fusils, les revolvers et les sabres, mais surtout pour les baïonnettes, se sentant incapable de manœuvrer assez vivement cette arme rapide pour défendre son gros ventre.

Et, quand il se couchait sur la terre, la nuit venue, roulé dans son manteau à côté des camarades qui ronflaient, il pensait longuement aux siens laissés là-bas et aux dangers semés sur sa route : « S'il était tué, que deviendraient les petits ? Qui donc les nourrirait et les élèverait ? A l'heure même, ils n'étaient pas riches, malgré les dettes qu'il avait contractées en partant pour leur laisser quelque argent. » Et Walter Schnaffs pleurait quelquefois.

Au commencement des batailles il se sentait dans les jambes de telles faiblesses qu'il se serait laissé tomber, s'il n'avait songé que toute l'armée lui passerait sur le corps. Le sifflement des balles hérissait le poil sur sa peau.

Depuis des mois il vivait ainsi dans la terreur et dans l'angoisse.

Son corps d'armée s'avançait vers la Normandie ; et il fut un jour envoyé en reconnaissance avec un faible détachement qui devait simplement explorer une partie du pays et se replier ensuite. Tout semblait calme dans la campagne ; rien n'indiquait une résistance préparée.

Or, les Prussiens descendaient avec tranquillité dans une petite vallée que coupaient des ravins profonds, quand une fusillade violente les arrêta net, jetant bas une vingtaine des leurs ; et une troupe de francs-tireurs, sortant brusquement d'un petit bois grand comme la main, s'élança en avant, la baïonnette au fusil.

Walter Schnaffs demeura d'abord immobile, tellement surpris et éperdu qu'il ne pensait même pas à fuir. Puis un désir fou de détaler le saisit ; mais il songea aussitôt qu'il courait comme une tortue en comparaison des maigres Français qui arrivaient en bondissant comme un troupeau de chèvres. Alors, apercevant à six pas devant lui un large fossé plein de broussailles couvertes de feuilles sèches, il y sauta à pieds joints, sans songer même à la profondeur, comme on saute d'un pont dans une rivière.

Il passa, à la façon d'une flèche, à travers une couche épaisse de lianes et de ronces aiguës qui lui déchirèrent la face et les mains, et il tomba lourdement assis sur un lit de pierres.

Levant aussitôt les yeux, il vit le ciel par le trou qu'il avait fait. Ce trou révélateur le pouvait dénoncer, et il se traîna avec précaution, à quatre pattes, au fond de cette ornière, sous le toit de branchages enlacés, allant le plus vite possible, en s'éloignant du lieu du combat. Puis il s'arrêta et s'assit de nouveau, tapi comme un lièvre au milieu des hautes herbes sèches.

Il entendit pendant quelque temps encore des détonations, des cris et des plaintes. Puis les clameurs de la lutte s'affaiblirent, cessèrent. Tout redevint muet et calme.

Soudain quelque chose remua contre lui. Il eut un sursaut épouvantable. C'était un petit oiseau qui, s'étant posé sur une branche, agitait des feuilles mortes. Pendant près d'une heure, le cœur de Walter Schnaffs en battit à grands coups pressés.

La nuit venait, emplissant d'ombre le ravin. Et le soldat se mit à songer. Qu'allait-il faire ? Qu'allait-il devenir ? Rejoindre son armée ?... Mais comment ? Mais par où ? Et il lui faudrait recommencer l'horrible vie d'angoisses, d'épouvantes, de fatigues et de souffrances qu'il menait depuis le commencement de la guerre ! Non ! Il ne se sentait plus ce courage ! Il n'aurait plus l'énergie qu'il fallait pour supporter les marches et affronter les dangers de toutes les minutes.

Mais que faire ? Il ne pouvait rester dans ce ravin et s'y cacher jusqu'à la fin des hostilités. Non, certes. S'il n'avait pas fallu manger, cette perspective ne l'aurait pas trop atterré ; mais il fallait manger, manger tous les jours.

Et il se trouvait ainsi tout seul, en armes, en uniforme, sur le territoire ennemi, loin de ceux qui le pouvaient défendre. Des frissons lui couraient sur la peau.

Soudain il pensa : « Si seulement j'étais prisonnier ! » Et son cœur frémit de désir, d'un désir violent, immodéré, d'être prisonnier des Français. Prisonnier ! Il serait sauvé, nourri, logé, à l'abri des balles et des sabres, sans appréhension possible, dans une bonne prison bien gardée. Prisonnier ! Quel rêve !

Et sa résolution fut prise immédiatement :

– Je vais me constituer prisonnier.

Il se leva, résolu à exécuter ce projet sans tarder d'une minute. Mais il demeura immobile, assailli soudain par des réflexions fâcheuses et par des terreurs nouvelles.

Où allait-il se constituer prisonnier ? Comment ? De quel côté ? Et des images affreuses, des images de mort, se précipitèrent dans son âme.

Il allait courir des dangers terribles en s'aventurant seul avec son casque à pointe, par la campagne.

S'il rencontrait des paysans ? Ces paysans, voyant un Prussien perdu, un Prussien sans défense, le tueraient comme un chien errant ! Ils le massacreraient avec leurs fourches, leurs pioches, leurs faux, leurs pelles ! Ils en feraient une bouillie, une pâtée, avec l'acharnement des vaincus exaspérés.

S'il rencontrait des francs-tireurs ? Ces francs-tireurs, des enragés sans loi ni discipline, le fusilleraient pour s'amuser, pour passer une heure, histoire de rire en voyant sa tête. Et il se croyait déjà appuyé contre un mur en face de douze canons de fusils, dont les petits trous ronds et noirs semblaient le regarder.

S'il rencontrait l'armée française elle-même ? Les hommes d'avant-garde le prendraient pour un éclaireur, pour quelque hardi et malin troupier parti seul en reconnaissance, et ils lui tireraient dessus. Et il entendait déjà les détonations irrégulières des soldats couchés dans les broussailles, tandis que lui, debout au milieu d'un champ, s'affaissait, troué comme une écumoire par les balles qu'il sentait entrer dans sa chair.

Il se rassit, désespéré. Sa situation lui paraissait sans issue.

La nuit était tout à fait venue, la nuit muette et noire. Il ne bougeait plus, tressaillant à tous les bruits inconnus et légers qui passent dans les ténèbres. Un lapin, tapant du cul au bord d'un terrier, faillit faire s'enfuir Walter Schnaffs. Les cris des chouettes lui déchiraient l'âme, le traversant de peurs soudaines, douloureuses comme des blessures. Il écarquillait ses gros yeux pour tâcher de voir dans l'ombre ; et il s'imaginait à tout moment entendre marcher près de lui.

Après d'interminables heures et des angoisses de damné, il aperçut, à travers son plafond de branchages, le ciel qui devenait clair. Alors un soulagement immense le pénétra ; ses membres se détendirent, reposés soudain ; son cœur s'apaisa ; ses yeux se fermèrent. Il s'endormit.

Quand il se réveilla, le soleil lui parut arrivé à peu près au milieu du ciel ; il devait être midi. Aucun bruit ne troublait la paix morne des champs ; et Walter Schnaffs s'aperçut qu'il était atteint d'une faim aiguë.

Il bâillait, la bouche humide à la pensée du saucisson, du bon saucisson des soldats ; et son estomac lui faisait mal.

Il se leva, fit quelques pas, sentit que ses jambes étaient faibles, et se rassit pour réfléchir. Pendant deux ou trois heures encore, il établit le pour et le contre, changeant à tout moment de résolution, combattu, malheureux, tiraillé par les raisons les plus contraires.

Une idée lui parut enfin logique et pratique, c'était de guetter le passage d'un villageois seul, sans armes, et sans outils de travail dangereux, de courir au-devant de lui et de se remettre en ses mains en lui faisant bien comprendre qu'il se rendait.

Alors il ôta son casque, dont la pointe le pouvait trahir, et il sortit sa tête au bord de son trou, avec des précautions infinies.

Aucun être isolé ne se montrait à l'horizon. Là-bas, à droite, un petit village envoyait au ciel la fumée de ses toits, la fumée des cuisines ! Là-bas, à gauche, il apercevait, au bout des arbres d'une avenue, un grand château flanqué de tourelles.

Il attendit ainsi jusqu'au soir, souffrant affreusement, ne voyant rien que des vols de corbeaux, n'entendant rien que les plaintes sourdes de ses entrailles.

Et la nuit encore tomba sur lui.

Il s'allongea au fond de sa retraite et il s'endormit d'un sommeil fiévreux, hanté de cauchemars, d'un sommeil d'homme affamé.

L'aurore se leva de nouveau sur sa tête. Il se remit en observation. Mais la campagne restait vide comme la veille ; et une peur nouvelle entrait dans l'esprit de Walter Schnaffs, la peur de mourir de faim ! Il se voyait étendu au fond de son trou, sur le dos, les yeux fermés. Puis des bêtes, des petites bêtes de toute sorte s'approchaient de son cadavre et se mettaient à le manger, l'attaquant partout à la fois, se glissant sous ses vêtements pour mordre sa peau froide. Et un grand corbeau lui piquait les yeux de son bec effilé.

Alors, il devint fou, s'imaginant qu'il allait s'évanouir de faiblesse et ne plus pouvoir marcher. Et déjà, il s'apprêtait à s'élancer vers le village, résolu à tout oser, à tout braver, quand il aperçut trois paysans qui s'en allaient aux champs avec leurs fourches sur l'épaule, et il replongea dans sa cachette.

Mais, dès que le soir obscurcit la plaine, il sortit lentement du fossé, et se mit en route, courbé, craintif, le cœur battant, vers le château lointain, préférant entrer là-dedans plutôt qu'au village qui lui semblait redoutable comme une tanière pleine de tigres.

Les fenêtres d'en bas brillaient. Une d'elles était même ouverte ; et une forte odeur de viande cuite s'en échappait, une odeur qui pénétra brusquement dans le nez et jusqu'au fond du ventre de Walter Schnaffs ; qui le crispa, le fit haleter, l'attirant irrésistiblement, lui jetant au cœur une audace désespérée.

Et brusquement, sans réfléchir, il apparut, casqué dans le cadre de la fenêtre.

Huit domestiques dînaient autour d'une grande table. Mais soudain une bonne demeura béante, laissant tomber son verre, les yeux fixes. Tous les regard suivirent le sien !

On aperçut l'ennemi !

Seigneur ! les Prussiens attaquaient le château !...

Ce fut d'abord un cri, un seul cri, fait de huit cris poussés sur huit tons différents, un cri d'épouvante horrible, puis une levée tumultueuse, une bousculade, une mêlée, une fuite éperdue vers la porte du fond. Les chaises tombaient, les hommes renversaient les femmes et passaient dessus. En deux secondes, la pièce fut vide, abandonnée, avec la table couverte de mangeaille en face de Walter Schnaffs stupéfait, toujours debout dans sa fenêtre.

Après quelques instants d'hésitation, il enjamba le mur d'appui et s'avança vers les assiettes. Sa faim exaspérée le faisait trembler comme un fiévreux : mais une terreur le retenait, le paralysait encore. Il écouta. Toute la maison semblait frémir ; des portes se fermaient, des pas rapides couraient sur le plancher du dessus. Le Prussien inquiet tendait l'oreille à ces confuses rumeurs ; puis il entendit des bruits sourds comme si des corps fussent tombés dans la terre molle, au pied des murs, des corps humains sautant du premier étage.

Puis tout mouvement, toute agitation cessèrent, et le grand château devint silencieux comme un tombeau.

Walter Schnaffs s'assit devant une assiette restée intacte, et il se mit à manger. Il mangeait par grandes bouchées comme s'il eût craint d'être interrompu trop tôt, de n'en pouvoir engloutir assez. Il jetait à deux mains les morceaux dans sa bouche ouverte comme une trappe ; et des paquets de nourriture lui descendaient coup sur coup dans l'estomac, gonflant sa gorge en passant. Parfois, il s'interrompait, prêt à crever à la façon d'un tuyau trop plein. Il prenait alors la cruche au cidre et se déblayait l'œsophage comme on lave un conduit bouché.

Il vida toutes les assiettes, tous les plats et toutes les bouteilles ; puis, saoul de liquide et de mangeaille, abruti, rouge, secoué par des hoquets, l'esprit troublé et la bouche grasse, il déboutonna son uniforme pour souffler, incapable d'ailleurs de faire un pas. Ses yeux se fermaient, ses idées s'engourdissaient ; il posa son front pesant dans ses bras croisés sur la table, et il perdit doucement la notion des choses et des faits.

Le dernier croissant éclairait vaguement l'horizon au-dessus des arbres du parc. C'était l'heure froide qui précède le jour.

Des ombres glissaient dans les fourrés, nombreuses et muettes ; et parfois, un rayon de lune faisait reluire dans l'ombre une pointe d'acier.

Le château tranquille dressait sa grande silhouette noire. Deux fenêtres seules brillaient encore au rez-de-chaussée.

Soudain, une voix tonnante hurla :
– En avant ! nom d'un nom ! à l'assaut ! mes enfants !

Alors, en un instant, les portes, les contrevents

et les vitres s'enfoncèrent sous un flot d'hommes qui s'élança, brisa, creva tout, envahit la maison. En un instant cinquante soldats armés jusqu'aux cheveux bondirent dans la cuisine où reposait pacifiquement Walter Schnaffs, et, lui posant sur la poitrine cinquante fusils chargés, le culbutèrent, le roulèrent, le saisirent, le lièrent des pieds à la tête.

Il haletait d'ahurissement, trop abruti pour comprendre, battu, crossé et fou de peur.

Et tout d'un coup, un gros militaire chamarré d'or lui planta son pied sur le ventre en vociférant :

— Vous êtes mon prisonnier, rendez-vous !

Le Prussien n'entendit que ce seul mot « prisonnier », et il gémit : « *ya, ya, ya* ».

Il fut relevé, ficelé sur une chaise, et examiné avec une vive curiosité par ses vainqueurs qui soufflaient comme des baleines. Plusieurs s'assirent, n'en pouvant plus d'émotion et de fatigue.

Il souriait, lui, il souriait maintenant, sûr d'être enfin prisonnier !

Un autre officier entra et prononça :

— Mon colonel, les ennemis se sont enfuis ; plusieurs semblent avoir été blessés. Nous restons maîtres de la place.

Le gros militaire qui s'essuyait le front vociféra :

— Victoire !

Et il écrivit sur un petit agenda de commerce tiré de sa poche :

« Après une lutte acharnée, les Prussiens ont dû battre en retraite, emportant leurs morts et leurs blessés, qu'on évalue à cinquante hommes hors de combat. Plusieurs sont restés entre nos mains. »

Le jeune officier reprit :

— Quelles dispositions dois-je prendre, mon colonel ?

Le colonel répondit :

– Nous allons nous replier pour éviter un retour offensif avec de l'artillerie et des forces supérieures.

Et il donna l'ordre de repartir.

La colonne se reforma dans l'ombre, sous les murs du château, et se mit en mouvement, enveloppant de partout Walter Schnaffs garrotté, tenu par six guerriers le revolver au poing.

Des reconnaissances furent envoyées pour éclairer la route. On avançait avec prudence, faisant halte de temps en temps.

Au jour levant, on arrivait à la sous-préfecture de La Roche-Oysel, dont la garde nationale avait accompli ce fait d'armes.

La population anxieuse et surexcitée attendait. Quand on aperçut le casque du prisonnier, des clameurs formidables éclatèrent. Les femmes levaient les bras ; des vieilles pleuraient, un aïeul lança sa béquille au Prussien et blessa le nez d'un de ses gardiens.

Le colonel hurlait.

– Veillez à la sûreté du captif.

On parvint enfin à la maison de ville. La prison fut ouverte, et Walter Schnaffs jeté dedans, libre de liens.

Deux cents hommes en armes montèrent la garde autour du bâtiment.

Alors, malgré des symptômes d'indigestion qui le tourmentaient depuis quelque temps, le Prussien, fou de joie, se mit à danser, à danser éperdument, en levant les bras et les jambes, à danser en poussant des cris frénétiques, jusqu'au moment où il tomba, épuisé, au pied d'un mur.

Il était prisonnier ! Sauvé !

C'est ainsi que le château de Champignet fut repris à l'ennemi après six heures seulement d'occupation.

Le colonel Ratier, marchand de drap, qui enleva cette affaire à la tête des gardes nationaux de La Roche-Oysel, fut décoré.

La rempailleuse

A Léon Hennique

C'était à la fin du dîner d'ouverture de chasse chez le marquis de Bertrans. Onze chasseurs, huit jeunes femmes et le médecin du pays étaient assis autour de la grande table illuminée, couverte de fruits et de fleurs.

On vint à parler d'amour, et une grande discussion s'éleva, l'éternelle discussion, pour savoir si on pouvait aimer vraiment une fois ou plusieurs fois. On cita des exemples de gens n'ayant jamais eu qu'un amour sérieux ; on cita aussi d'autres exemples de gens ayant aimé souvent, avec violence. Les hommes, en général, prétendaient que la passion, comme les maladies, peut frapper plusieurs fois le même être, et le frapper à le tuer si quelque obstacle se dresse devant lui. Bien que cette manière de voir ne fût pas contestable, les femmes, dont l'opinion s'appuyait sur la poésie bien plus que sur l'observation, affirmaient que l'amour, l'amour vrai, le grand amour, ne pouvait tomber qu'une fois sur un mortel, qu'il était semblable à la foudre, cet amour, et qu'un cœur touché par lui demeurait ensuite tellement vidé, ravagé, incendié, qu'aucun autre sentiment puissant, même aucun rêve, n'y pouvait germer de nouveau.

Le marquis ayant aimé beaucoup, combattait vivement cette croyance :

– Je vous dis, moi, qu'on peut aimer plusieurs fois avec toutes ses forces et toute son âme. Vous me citez des gens qui se sont tués par amour, comme preuve de l'impossibilité d'une seconde passion. Je vous répondrai que, s'ils n'avaient pas commis cette bêtise de se suicider, ce qui leur enlevait toute chance de rechute, ils se seraient guéris, et ils auraient recommencé, et toujours, jusqu'à leur mort naturelle. Il en est des amoureux comme des ivrognes. Qui a bu boira – qui a aimé aimera. C'est une affaire de tempérament, cela.

On prit pour arbitre le docteur, vieux médecin parisien retiré aux champs, et on le pria de donner son avis.

Justement il n'en avait pas :

– Comme l'a dit le marquis, c'est une affaire de tempérament ; quant à moi, j'ai eu connaissance d'une passion qui dura cinquante-cinq ans sans un jour de répit, et qui ne se termina que par la mort.

La marquise battit des mains.

– Est-ce beau cela ! Et quel rêve d'être aimé ainsi ! Quel bonheur de vivre cinquante-cinq ans tout enveloppé de cette affection acharnée et pénétrante ! Comme il a dû être heureux et bénir la vie celui qu'on adora de la sorte !

Le médecin sourit :

– En effet, madame, vous ne vous trompez pas sur ce point, que l'être aimé fut un homme. Vous le connaissez, c'est M. Chouquet, le pharmacien du bourg. Quant à elle, la femme, vous l'avez connue aussi, c'est la vieille rempailleuse de chaises qui venait tous les ans au château. Mais je vais me faire mieux comprendre.

L'enthousiasme des femmes était tombé ; et leur visage dégoûté disait : « Pouah ! » comme si l'amour n'eût dû frapper que des êtres fins et distingués, seuls dignes de l'intérêt des gens comme il faut.

Le médecin reprit :

★

J'ai été appelé, il y a trois mois, auprès de cette vieille femme, à son lit de mort. Elle était arrivée, la veille, dans la voiture qui lui servait de maison, traînée par la rosse que vous avez vue, et accompagnée de ses deux grands chiens noirs, ses amis et ses gardiens. Le curé était déjà là. Elle nous fit ses exécuteurs testamentaires, et, pour nous dévoiler le sens de ses volontés dernières, elle nous raconta toute sa vie. Je ne sais rien de plus singulier et de plus poignant.

Son père était rempailleur et sa mère rempailleuse. Elle n'a jamais eu de logis planté en terre.

Toute petite, elle errait, haillonneuse, vermineuse, sordide. On s'arrêtait à l'entrée des villages, le long des fossés ; on dételait la voiture ; le cheval broutait ; le chien dormait, le museau sur ses pattes ; et la petite se roulait dans l'herbe pendant que le père et la mère rafistolaient, à l'ombre des ormes du chemin, tous les vieux sièges de la commune. On ne parlait guère, dans cette demeure ambulante. Après les quelques mots nécessaires pour décider qui ferait le tour des maisons en poussant le cri bien connu : « Remmmpailleur de chaises ! » on se mettait à tortiller la paille, face à face ou côte à côte. Quand l'enfant allait trop loin ou tentait d'entrer en relation avec quelque galopin du village, la voix colère du père la rappelait : « Veux-tu bien revenir ici, crapule ! » C'étaient les seuls mots de tendresse qu'elle entendait.

Quand elle devint plus grande, on l'envoya faire la récolte des fonds de sièges avariés. Alors elle ébaucha quelques connaissances de place en place avec les gamins ; mais c'étaient alors les parents de ses nouveaux amis qui rappelaient brutalement leurs enfants : « Veux-tu bien venir ici, polisson ! Que je te voie causer avec les va-nu-pieds !... »

Souvent les petits gars lui jetaient des pierres.

Des dames lui ayant donné quelques sous, elle les garda soigneusement.

Un jour – elle avait alors onze ans – comme elle passait par ce pays, elle rencontra derrière le cimetière le petit Chouquet qui pleurait parce qu'un camarade lui avait volé deux liards. Ces larmes d'un petit bourgeois, d'un de ces petits qu'elle s'imaginait, dans sa frêle caboche de déshéritée, être toujours contents et joyeux, la bouleversèrent. Elle s'approcha, et, quand elle connut la raison de sa peine, elle versa entre ses mains toutes ses économies, sept sous, qu'il prit naturellement, en essuyant ses larmes. Alors, folle de joie, elle eut l'audace de l'embrasser. Comme il considérait attentivement sa monnaie, il se laissa faire. Ne se voyant ni repoussée, ni battue, elle recommença ; elle l'embrassa à pleins bras, à plein cœur. Puis elle se sauva.

Que se passa-t-il dans cette misérable tête ? S'est-elle attachée à ce mioche parce qu'elle lui avait sacrifié sa fortune de vagabonde, ou parce qu'elle lui avait donné son premier baiser tendre ? Le mystère est le même pour les petits que pour les grands.

Pendant des mois, elle rêva de ce coin de cimetière et de ce gamin. Dans l'espérance de le revoir elle vola ses parents, grappillant un sou par-ci, un sou par-là, sur un rempaillage, ou sur les provisions qu'elle allait acheter.

Quand elle revint, elle avait deux francs dans sa poche, mais elle ne put qu'apercevoir le petit pharmacien, bien propre, derrière les carreaux de la boutique paternelle, entre un bocal rouge et un ténia.

Elle ne l'en aima que davantage, séduite, émue, extasiée par cette gloire de l'eau colorée, cette apothéose des cristaux luisants.

Elle garda en elle son souvenir ineffaçable, et, quand elle le rencontra, l'an suivant, derrière l'école, jouant aux billes avec ses camarades, elle se jeta sur lui, le saisit dans ses bras, et le baisa avec tant de violence qu'il se mit à hurler de peur. Alors, pour l'apaiser, elle lui donna son argent : trois francs vingt, un vrai trésor, qu'il regardait avec des yeux agrandis.

Il le prit et se laissa caresser tant qu'elle voulut.

Pendant quatre ans encore, elle versa entre ses mains toutes ses réserves, qu'il empochait avec conscience en échange de baisers consentis. Ce fut une fois trente sous, une fois deux francs, une fois douze sous (elle en pleura de peine et d'humiliation, mais l'année avait été mauvaise) et la dernière fois, cinq francs, une grosse pièce ronde, qui le fit rire d'un rire content.

Elle ne pensait plus qu'à lui ; et il attendait son retour avec une certaine impatience, courait au-devant d'elle en la voyant, ce qui faisait bondir le cœur de la fillette.

Puis il disparut. On l'avait mis au collège. Elle le sut en interrogeant habilement. Alors elle usa d'une diplomatie infinie pour changer l'itinéraire de ses parents et les faire passer par ici au moment des vacances. Elle y réussit, mais après un an de ruses. Elle était donc restée deux ans sans le revoir ; et elle le reconnut à peine, tant il était changé, grandi, embelli, imposant dans sa tunique à boutons d'or. Il feignit de ne pas la voir et passa fièrement près d'elle.

Elle en pleura pendant deux jours ; et depuis lors elle souffrit sans fin.

Tous les ans elle revenait ; passait devant lui sans oser le saluer et sans qu'il daignât même tourner les yeux vers elle. Elle l'aimait éperdument. Elle me dit : « C'est le seul homme que j'aie vu sur la terre, monsieur le médecin ; je ne sais pas si les autres existaient seulement. »

Ses parents moururent. Elle continua leur métier, mais elle prit deux chiens au lieu d'un, deux terribles chiens qu'on n'aurait pas osé braver.

Un jour, en rentrant dans ce village où son cœur était resté, elle aperçut une jeune femme qui sortait de la boutique Chouquet au bras de son bien-aimé. C'était sa femme. Il était marié.

Le soir même, elle se jeta dans la mare qui est sur la place de la Mairie. Un ivrogne attardé la repêcha, et la porta à la pharmacie. Le fils Chouquet descendit en robe de chambre, pour la soigner, et, sans paraître la reconnaître, la déshabilla, la frictionna, puis il lui dit d'une voix dure :

– Mais vous êtes folle ! Il ne faut pas être bête comme ça !

Cela suffit pour la guérir. Il lui avait parlé ! Elle était heureuse pour longtemps.

Il ne voulut rien recevoir en rémunération de ses soins, bien qu'elle insistât vivement pour le payer.

Et toute sa vie s'écoula ainsi. Elle rempaillait en songeant à Chouquet. Tous les ans, elle l'apercevait derrière ses vitraux. Elle prit l'habitude d'acheter chez lui des provisions de menus médicaments. De la sorte elle le voyait de près, et lui parlait, et lui donnait encore de l'argent.

Comme je vous l'ai dit en commençant, elle est morte ce printemps. Après m'avoir raconté toute cette triste histoire, elle me pria de remettre à celui qu'elle avait si patiemment aimé toutes les économies de son existence, car elle n'avait travaillé que pour lui, disait-elle, jeûnant même pour mettre de côté, et être sûre qu'il penserait à elle, au moins une fois, quand elle serait morte.

Elle me donna donc deux mille trois cent vingt-sept francs. Je laissai à M. le curé les vingt-sept francs pour l'enterrement, et j'emportai le reste quand elle eut rendu le dernier soupir.

Le lendemain, je me rendis chez les Chouquet. Ils achevaient de déjeuner, en face l'un de l'autre, gros et rouges, fleurant les produits pharmaceutiques, importants et satisfaits.

On me fit asseoir ; on m'offrit un kirsch, que j'acceptai ; et je commençai mon discours d'une voix émue, persuadé qu'ils allaient pleurer.

Dès qu'il eut compris qu'il avait été aimé de cette vagabonde, de cette rempailleuse, de cette rouleuse, Chouquet bondit d'indignation, comme si elle lui avait volé sa réputation, l'estime des honnêtes gens, son honneur intime, quelque chose de délicat qui lui était plus cher que la vie.

Sa femme, aussi exaspérée que lui, répétait :
« Cette gueuse ! cette gueuse ! cette gueuse !... »
Sans pouvoir trouver autre chose.

Il s'était levé ; il marchait à grands pas derrière
la table, le bonnet grec chaviré sur une oreille. Il
balbutiait :

– Comprend-on ça, docteur ? Voilà de ces
choses horribles pour un homme ! Que faire ?
Oh ! si je l'avais su de son vivant, je l'aurais fait
arrêter par la gendarmerie et flanquer en prison.
Et elle n'en serait pas sortie, je vous en réponds !

Je demeurais stupéfait du résultat de ma
démarche pieuse. Je ne savais que dire ni que
faire. Mais j'avais à compléter ma mission. Je
repris :

– Elle m'a chargé de vous remettre ses économies, qui montent à deux mille trois cents francs.
Comme ce que je viens de vous apprendre
semble vous être fort désagréable, le mieux serait
peut-être de donner cet argent aux pauvres.

Ils me regardaient, l'homme et la femme, per-
clus de saisissement.

Je tirai l'argent de ma poche, du misérable
argent de tous les pays et de toutes les marques,
de l'or et des sous mêlés. Puis je demandai :

– Que décidez-vous ?

Mme Chouquet parla la première :

– Mais, puisque c'était sa dernière volonté, à
cette femme... il me semble qu'il nous est bien
difficile de refuser.

Le mari, vaguement confus, reprit :

– Nous pourrions toujours acheter avec ça quelque chose pour nos enfants.

Je dis d'un air sec :

– Comme vous voudrez.

Il reprit :

– Donnez toujours, puisqu'elle vous en a chargé ; nous trouverons bien moyen de l'employer à quelque bonne œuvre.

Je remis l'argent, je saluai et je partis.

Le lendemain Chouquet vint me trouver et, brusquement :

– Mais elle a laissé ici sa voiture, cette... cette femme. Qu'est-ce que vous en faites, de cette voiture ?

– Rien, prenez-la si vous voulez.

– Parfait ; cela me va ; j'en ferai une cabane pour mon potager.

Il s'en allait. Je le rappelai.

– Elle a laissé aussi son vieux cheval et ses deux chiens. Les voulez-vous ?

Il s'arrêta, surpris :

– Ah ! non, par exemple ; que voulez-vous que j'en fasse ? Disposez-en comme vous voudrez.

Et il riait. Puis il me tendit sa main que je serrai. Que voulez-vous ? Il ne faut pas, dans un pays, que le médecin et le pharmacien soient ennemis.

J'ai gardé les chiens chez moi. Le curé, qui a une grande cour, a pris le cheval. La voiture sert de cabane à Chouquet ; et il a acheté cinq obligations de chemin de fer avec l'argent.

Voilà le seul amour profond que j'aie rencontré, dans ma vie.

★

Le médecin se tut.
Alors la marquise, qui avait des larmes dans les
yeux, soupira :
– Décidément, il n'y a que les femmes pour
savoir aimer !

Clochette

Sont-ils étranges, ces anciens souvenirs qui vous hantent sans qu'on puisse se défaire d'eux !

Celui-là est si vieux, si vieux que je ne saurais comprendre comment il est resté si vif et si tenace dans mon esprit. J'ai vu depuis tant de choses sinistres, émouvantes ou terribles, que je m'étonne de ne pouvoir passer un jour, un seul jour, sans que la figure de la mère Clochette ne se retrace devant mes yeux, telle que je la connus, autrefois, voilà si longtemps, quand j'avais dix ou douze ans.

C'était une vieille couturière qui venait une fois par semaine, tous les mardis, raccommoder le linge chez mes parents. Mes parents habitaient une de ces demeures de campagne appelées châteaux, et qui sont simplement d'antiques maisons à toit aigu, dont dépendent quatre ou cinq fermes groupées autour.

Le village, un gros village, un bourg, apparaissait à quelques centaines de mètres, serré autour de l'église, une église de briques rouges devenues noires avec le temps.

Donc, tous les mardis, la mère Clochette arrivait entre six heures et demie et sept heures du matin et montait aussitôt dans la lingerie se mettre au travail.

C'était une haute femme maigre, barbue, ou plutôt poilue, car elle avait de la barbe sur toute la figure, une barbe surprenante, inattendue, poussée par bouquets invraisemblables, par touffes frisées qui semblaient semées par un fou à travers ce grand visage de gendarme en jupes. Elle en avait sur le nez, sous le nez, autour du nez, sur le menton, sur les joues ; et ses sourcils d'une épaisseur et d'une longueur extravagantes, tout gris, touffus, hérissés, avaient tout à fait l'air d'une paire de moustaches placées là par erreur.

Elle boitait, non pas comme boitent les estropiés ordinaires, mais comme un navire à l'ancre. Quand elle posait sur sa bonne jambe son grand corps osseux et dévié, elle semblait prendre son élan pour monter sur une vague monstrueuse, puis, tout à coup, elle plongeait comme pour disparaître dans un abîme, elle s'enfonçait dans le sol. Sa marche éveillait bien l'idée d'une tempête, tant elle se balançait en même temps ; et sa tête toujours coiffée d'un énorme bonnet blanc, dont les rubans lui flottaient dans le dos, semblait traverser l'horizon, du nord au sud et du sud au nord, à chacun de ses mouvements.

J'adorais cette mère Clochette. Aussitôt levé je montais dans la lingerie où je la trouvais installée à coudre, une chaufferette sous les pieds. Dès que j'arrivais, elle me forçait à prendre cette chaufferette et à m'asseoir dessus pour ne pas m'enrhumer dans cette vaste pièce froide, placée sous le toit.

– Ça te tire le sang de la gorge, disait-elle.

Elle me contait des histoires, tout en reprisant le linge avec ses longs doigts crochus, qui étaient vifs ; ses yeux derrière ses lunettes aux verres grossissants, car l'âge avait affaibli sa vue, me paraissaient énormes, étrangement profonds, doubles.

Elle avait, autant que je puis me rappeler les choses qu'elle me disait et dont mon cœur d'enfant était remué, une âme magnanime de pauvre femme. Elle voyait gros et simple. Elle me contait les événements du bourg, l'histoire d'une vache qui s'était sauvée de l'étable et qu'on avait retrouvée, un matin, devant le moulin de Prosper Malet, regardant tourner les ailes de bois, ou l'histoire d'un œuf de poule découvert dans le clocher de l'église sans qu'on eût jamais compris quelle bête était venue le pondre là, ou l'histoire du chien de Jean-Jean Pilas, qui avait été reprendre à dix lieues du village la culotte de son maître volée par un passant tandis qu'elle séchait devant la porte après une course à la pluie. Elle me contait ces naïves aventures de telle façon qu'elles prenaient en mon esprit des proportions de drames inoubliables, de poèmes grandioses et mystérieux ; et les contes ingénieux inventés par des poètes et que me narrait ma mère, le soir, n'avaient point cette saveur, cette ampleur, cette puissance des récits de la paysanne.

Or, un mardi, comme j'avais passé toute la matinée à écouter la mère Clochette, je voulus remonter près d'elle, dans la journée, après avoir été cueillir des noisettes avec le domestique, au bois des Hallets, derrière la ferme de Noirpré. Je me rappelle tout cela aussi nettement que les choses d'hier.

Or, en ouvrant la porte de la lingerie, j'aperçus la vieille couturière étendue sur le sol, à côté de sa chaise, la face par terre, les bras allongés, tenant encore son aiguille d'une main et, de l'autre, une de mes chemises. Une de ses jambes, dans un bas bleu, la grande sans doute, s'allongeait sous sa chaise ; et les lunettes brillaient au pied de la muraille, ayant roulé loin d'elle.

Je me sauvai en poussant des cris aigus. On accourut ; et j'appris au bout de quelques minutes que la mère Clochette était morte.

Je ne saurais dire l'émotion profonde, poignante, terrible, qui crispa mon cœur d'enfant. Je descendis à petits pas dans le salon et j'allai me cacher dans un coin sombre, au fond d'une immense et antique bergère où je me mis à genoux pour pleurer. Je restai là longtemps sans doute, car la nuit vint.

Tout à coup on entra avec une lampe, mais on ne me vit pas et j'entendis mon père et ma mère causer avec le médecin, dont je reconnus la voix.

On l'avait été chercher bien vite et il expliquait les causes de l'accident. Je n'y compris rien d'ailleurs. Puis il s'assit, et accepta un verre de liqueur avec un biscuit.

Il parlait toujours ; et ce qu'il dit alors me reste et me restera gravé dans l'âme jusqu'à ma mort ! Je crois que je puis reproduire même presque absolument les termes dont il se servit.

Ah ! disait-il, la pauvre femme ! ce fut ici ma première cliente. Elle se cassa la jambe le jour de mon arrivée et je n'avais pas eu le temps de me laver les mains en descendant de la diligence quand on vint me quérir en toute hâte, car c'était grave, très grave.

Elle avait dix-sept ans, et c'était une très belle fille, très belle, très belle ! L'aurait-on cru ? Quant à son histoire, je ne l'ai jamais dite ; et personne hors moi et un autre qui n'est plus dans le pays ne l'a jamais sue. Maintenant qu'elle est morte, je puis être moins discret.

A cette époque-là venait de s'installer, dans le bourg, un jeune aide-instituteur qui avait une jolie figure et une belle taille de sous-officier. Toutes les filles lui couraient après, et il faisait le dédaigneux, ayant grand-peur d'ailleurs du maître d'école, son supérieur, le père Grabu, qui n'était pas bien levé tous les jours.

Le père Grabu employait déjà comme couturière la belle Hortense, qui vient de mourir chez vous et qu'on baptisa plus tard Clochette, après son accident. L'aide-instituteur distingua cette belle fillette, qui fut sans doute flattée d'être choisie par cet imprenable conquérant ; toujours est-il qu'elle l'aima, et qu'il obtint un premier rendez-vous, dans le grenier de l'école, à la fin d'un jour de couture, la nuit venue.

Elle fit donc semblant de rentrer chez elle mais, au lieu de descendre l'escalier en sortant de chez les Grabu, elle le monta, et alla se cacher dans le foin, pour attendre son amoureux. Il l'y rejoignit bientôt, et il commençait à lui conter fleurette, quand la porte de ce grenier s'ouvrit de nouveau et le maître d'école parut et demanda :

— Qu'est-ce que vous faites là-haut, Sigisbert ?

Sentant qu'il serait pris, le jeune instituteur, affolé, répondit stupidement :

— J'étais monté me reposer un peu sur les bottes, monsieur Grabu.

Ce grenier était très grand, très vaste, absolument noir ; et Sigisbert poussait vers le fond la jeune fille effarée, en répétant :

— Allez là-bas, cachez-vous. Je vais perdre ma place, sauvez-vous, cachez-vous !

Le maître d'école entendant murmurer, reprit :

— Vous n'êtes donc pas seul ici ?

— Mais oui, monsieur Grabu !

— Mais non, puisque vous parlez.

– Je vous jure que oui, monsieur Grabu.

– C'est ce que je vais savoir, reprit le vieux ; et fermant la porte à double tour, il descendit chercher une chandelle.

Alors le jeune homme, un lâche comme on en trouve souvent, perdit la tête et il répétait, paraît-il, devenu furieux tout à coup :

– Mais cachez-vous, qu'il ne vous trouve pas. Vous allez me mettre sans pain pour toute ma vie. Vous allez briser ma carrière... Cachez-vous donc !

On entendait la clef qui tournait de nouveau dans la serrure.

Hortense courut à la lucarne qui donnait sur la rue, l'ouvrit brusquement, puis, d'une voix basse et résolue :

– Vous viendrez me ramasser quand il sera parti, dit-elle.

Et elle sauta.

Le père Grabu ne trouva personne et redescendit, fort surpris.

Un quart d'heure plus tard, M. Sigisbert entrait chez moi et me contait son aventure. La jeune fille était restée au pied du mur incapable de se lever, étant tombée de deux étages. J'allai la chercher avec lui. Il pleuvait à verse, et j'apportai chez moi cette malheureuse dont la jambe droite était brisée à trois places, et dont les os avaient crevé les chairs. Elle ne se plaignait pas et disait seulement avec une admirable résignation :

– Je suis punie, bien punie !

Je fis venir du secours et les parents de l'ouvrière, à qui je contai la fable d'une voiture emportée qui l'avait renversée et estropiée devant ma porte.

On me crut, et la gendarmerie chercha en vain, pendant un mois, l'auteur de cet accident.

Voilà ! Et je dis que cette femme fut une héroïne, de la race de celles qui accomplissent les plus belles actions historiques.

Ce fut là son seul amour. Elle est morte vierge. C'est une martyre, une grande âme, une Dévouée sublime ! Et si je ne l'admirais pas absolument je ne vous aurais pas conté cette histoire, que je n'ai jamais voulu dire à personne pendant sa vie, vous comprenez pourquoi.

Le médecin s'était tu. Maman pleurait. Papa prononça quelques mots que je ne saisis pas bien ; puis ils s'en allèrent.

Et je restai à genoux sur ma bergère, sanglotant, pendant que j'entendais un bruit étrange de pas lourds et de heurts dans l'escalier.

On emportait le corps de Clochette.

Le trou

oups et blessures, ayant occasionné la mort. Tel était le chef d'accusation qui faisait comparaître en cour d'assises le sieur Léopold Renard, tapissier.

Autour de lui les principaux témoins, la dame Flamèche, veuve de la victime, les nommés Louis Ladureau, ouvrier ébéniste, et Jean Durdent, plombier.

Près du criminel, sa femme en noir, petite, laide, l'air d'une guenon habillée en dame.

Et voici comment Renard (Léopold) raconte le drame :

★

Mon Dieu, c'est un malheur dont je fus tout le temps la première victime, et dont ma volonté n'est pour rien. Les faits se commentent d'eux-mêmes, m'sieu l'Président. Je suis un honnête homme, homme de travail, tapissier dans la même rue depuis seize ans, connu, aimé, respecté, considéré de tous, comme en ont attesté les voisins, même la concierge qui n'est pas folâtre tous les jours. J'aime le travail, j'aime l'épargne, j'aime les honnêtes gens et les plaisirs honnêtes. Voilà ce qui m'a perdu, tant pis pour moi ; ma volonté n'y étant pas, je continue à me respecter.

Donc, tous les dimanches, mon épouse que voilà et moi, depuis cinq ans, nous allons passer la journée à Poissy. Ça nous fait prendre l'air, sans compter que nous aimons la pêche à la ligne, oh ! mais là, nous l'aimons comme des petits oignons. C'est Mélie qui m'a donné cette passion-là, la rosse, et qu'elle y est plus emportée que moi, la teigne, vu que tout le mal vient d'elle en c't'affaire-là, comme vous l'allez voir par la suite.

Moi, je suis fort et doux, pas méchant pour deux sous. Mais elle ! oh ! là ! là ! ça n'a l'air de rien, c'est petit, c'est maigre ; eh bien ! c'est plus malfaisant qu'une fouine. Je ne nie pas qu'elle ait des qualités ; elle en a, et d'importantes pour un commerçant. Mais son caractère ! Parlez-en aux alentours, et même à la concierge qui m'a déchargé tout à l'heure... elle vous en dira des nouvelles.

Tous les jours elle me reprochait ma douceur : « C'est moi qui ne me laisserais pas faire ci ! C'est moi qui ne me laisserais pas faire ça. » En l'écoutant, m'sieu l'Président, j'aurais eu au moins trois duels au pugilat par mois...

Mme Renard l'interrompit :
– Cause toujours ; rira bien qui rira l'dernier.
Il se tourna vers elle avec candeur :
– Eh bien, j'peux t'charger puisque t'es pas en cause, toi...
Puis, faisant de nouveau face au président :

Lors je continue. Donc nous allions à Poissy tous les samedis soir pour y pêcher dès l'aurore du lendemain. C'est une habitude pour nous qu'est devenue une seconde nature, comme on dit. J'avais découvert, voilà trois ans cet été, une place, mais une place ! Oh ! là ! là ! à l'ombre, huit pieds d'eau, au moins, p't'être dix, un trou, quoi, avec des retrous sous la berge, une vraie niche à poisson, un paradis pour le pêcheur. Ce trou-là, m'sieu l'Président, je pouvais le considérer comme à moi, vu que j'en étais le Christophe Colomb. Tout le monde le savait dans le pays, tout le monde sans opposition. On disait : « Ça, c'est la place à Renard » ; et personne n'y serait venu, pas même M. Plumeau, qu'est connu, soit dit sans l'offenser, pour chiper les places des autres.

Donc, sûr de mon endroit, j'y revenais comme un propriétaire. A peine arrivé, le samedi, je montais dans *Dalila,* avec mon épouse. – *Dalila* c'est ma norvégienne, un bateau que j'ai fait construire chez Fournaise, quéque chose de léger et de sûr. – Je dis que nous montons dans *Dalila*, et nous allons amorcer. Pour amorcer, il n'y a que moi, et ils le savent bien, les camaraux. – Vous me demanderez avec quoi j'amorce ? Je n'peux pas répondre. Ça ne touche point à l'accident ; je ne peux pas répondre, c'est mon secret. – Ils sont plus de deux cents qui me l'ont demandé. On m'en a offert des petits verres, et des fritures, et des matelots pour me faire causer ! Mais va voir s'ils viennent, les chevesnes. Ah ! oui, on m'a tapé sur le ventre pour la connaître, ma recette... Il n'y a que ma femme qui la sait... et elle ne la dira pas plus que moi !... Pas vrai, Mélie ?...

Le président l'interrompit.
– Arrivez au fait le plus tôt possible.

Le prévenu reprit : J'y viens, j'y viens. Donc le samedi 8 juillet, partis par le train de cinq heures vingt-cinq, nous allâmes, dès avant dîner, amorcer comme tous les samedis. Le temps s'annonçait bien. Je disais à Mélie : « Chouette, chouette pour demain ! » Et elle répondait : « Ça promet. » Nous ne causons jamais plus que ça ensemble.

Et puis, nous revenons dîner. J'étais content, j'avais soif. C'est cause de tout, m'sieu l'Président. Je dis à Mélie :

– Tiens, Mélie, il fait beau, si je buvais une bouteille de *casque à mèche*.

C'est un petit vin blanc que nous avons baptisé comme ça, parce que, si on en boit trop, il vous empêche de dormir et il remplace le casque à mèche. Vous comprenez.

Elle me répond :

– Tu peux faire à ton idée, mais tu s'ras encore malade ; et tu ne pourras pas te lever demain.

Ça, c'était vrai, c'était sage, c'était prudent, c'était perspicace, je le confesse. Néanmoins, je ne sus pas me contenir ; et je la bus ma bouteille. Tout vint de là.

Donc, je ne pus pas dormir. Cristi ! je l'ai eu jusqu'à deux heures du matin, ce casque à mèche en jus de raisin. Et puis pouf, je m'endors, mais là je dors à n'pas entendre gueuler l'ange du jugement dernier.

Bref, ma femme me réveille à six heures. Je saute du lit, j'passe vite et vite ma culotte et ma vareuse ; un coup d'eau sur le museau et nous sautons dans *Dalila*. Trop tard. Quand j'arrive à mon trou, il était pris ! Jamais ça n'était arrivé, m'sieu l'Président, jamais depuis trois ans ! Ça m'a fait un effet comme si on me dévalisait sous mes yeux. Je dis :

– Nom d'un nom, d'un nom, d'un nom !

Et v'là ma femme qui commence à me harceler.

– Hein, ton casque à mèche ! Va donc, soûlot ! Es-tu content, grande bête ?

Je ne disais rien ; c'était vrai, tout ça.

Je débarque tout de même près de l'endroit pour tâcher de profiter des restes. Et peut-être qu'il ne prendrait rien c't homme ? et qu'il s'en irait.

C'était un petit maigre, en coutil blanc, avec un grand chapeau de paille. Il avait aussi sa femme, une grosse qui faisait de la tapisserie derrière lui.

Quand elle nous vit nous installer près du lieu, v'là qu'elle murmure :

– Il n'y a donc pas d'autre place sur la rivière ?

Et la mienne, qui rageait, de répondre :

– Les gens qu'ont du savoir-vivre s'informent des habitudes d'un pays avant d'occuper les endroits réservés.

Comme je ne voulais pas d'histoires, je lui dis :

– Tais-toi, Mélie. Laisse faire, laisse faire. Nous verrons bien.

Donc, nous avions mis *Dalila* sous les saules, nous étions descendus, et nous pêchions, coude à coude, Mélie et moi, juste à côté des deux autres.

Ici, m'sieu l'Président, il faut que j'entre dans le détail.

Y avait pas cinq minutes que nous étions là quand la ligne du voisin s'met à plonger deux fois, trois fois ; et puis voilà qu'il en amène un, de chevesne, gros comme ma cuisse, un peu moins p't' être, mais presque ! Moi, le cœur me bat ; j'ai une sueur aux tempes, et Mélie qui me dit :

– Hein, pochard, l'as-tu vu, celui-là !

Sur ces entrefaites, M. Bru, l'épicier de Poissy, un amateur de goujon, lui, passe en barque et me crie :

– On vous a pris votre endroit, monsieur Renard ?

Je lui réponds :

– Oui, monsieur Bru, il y a dans ce monde des gens pas délicats qui ne savent pas les usages.

Le petit coutil d'à côté avait l'air de ne pas entendre, sa femme non plus, sa grosse femme, un veau, quoi !

Le président interrompit une seconde fois :

– Prenez garde ! Vous insultez Mme veuve Flamèche, ici présente.

Renard s'excusa :

– Pardon, pardon, c'est la passion qui m'emporte.

Donc, il ne s'était pas écoulé un quart d'heure que le petit coutil en prit encore un, de chevesne – et un autre presque par-dessus, et encore un cinq minutes plus tard. Moi j'en avais les larmes aux yeux. Et puis je sentais Mme Renard en ébullition ; elle me lancicotait sans cesse :

– Ah ! misère ! crois-tu qu'il te le vole, ton poisson ? Crois-tu ? Tu ne prendras rien, toi, pas une grenouille, rien de rien, rien. Tiens, j'ai du feu dans la main, rien que d'y penser.

Moi, je me disais :

— Attendons midi. Il ira déjeuner, ce braconnier-là, et je la reprendrai, ma place.

Vu que moi, m'sieu l'Président, je déjeune sur les lieux tous les dimanches. Nous apportons les provisions dans *Dalila.*

Ah ! ouiche. Midi sonne ! Il avait un poulet dans un journal, le malfaiteur, et pendant qu'il mange, v'là qu'il en prend encore un, de chevesne !

Mélie et moi nous cassions une croûte aussi, comme ça sur le pouce, presque rien, le cœur n'y était pas.

Alors, pour faire digestion, je prends mon journal. Tous les dimanches, comme ça, je lis le *Gil Blas,* à l'ombre, au bord de l'eau. C'est le jour de Colombine, vous savez bien, Colombine qu'écrit des articles dans le *Gil Blas.* J'avais coutume de faire enrager Mme Renard en prétendant la connaître c'te Colombine. C'est pas vrai, je la connais pas, je ne l'ai jamais vue, n'importe, elle écrit bien ; et puis elle dit des choses rudement d'aplomb pour une femme. Moi, elle me va, y en a pas beaucoup dans son genre.

Voilà donc que je commence à asticoter mon épouse, mais elle se fâche tout de suite, et raide, encore. Donc je me tais.

C'est à ce moment qu'arrivent de l'autre côté de la rivière nos deux témoins que voilà, M. Ladureau et M. Durdent. Nous nous connaissions de vue.

Le petit s'était remis à pêcher. Il en prenait que j'en tremblais, moi. Et sa femme se met à dire :

– La place est rudement bonne, nous y reviendrons toujours, Désiré !

Moi, je me sens un froid dans le dos. Et Mme Renard répétait :

– T'es pas un homme, t'es pas un homme. T'as du sang de poulet dans les veines.

Je lui dis soudain :

– Tiens, j'aime mieux m'en aller, je ferais quelque bêtise.

Et elle me souffle, comme si elle m'eût mis un fer rouge sous le nez :

– T'es pas un homme. V'là qu'tu fuis, maintenant, que tu rends la place ! Va donc, Bazaine !

Là, je me suis senti touché. Cependant je ne bronche pas.

Mais l'autre, il lève une brème, oh ! jamais je n'en ai vu telle. Jamais !

Et r'voilà ma femme qui se met à parler haut, comme si elle pensait. Vous voyez d'ici la malice. Elle disait :

– C'est ça qu'on peut appeler du poisson volé, vu que nous avons amorcé la place nous-mêmes. Il faudrait rendre au moins l'argent dépensé pour l'amorce.

Alors, la grosse au petit coutil se mit à dire à son tour :

– C'est à nous que vous en avez, madame ?

– J'en ai aux voleurs de poisson qui profitent de l'argent dépensé par les autres.

– C'est nous que vous appelez des voleurs de poisson ?

Et voilà qu'elles s'expliquent, et puis qu'elles en viennent aux mots. Cristi, elles en savent, les gueuses, et de tapés. Elles gueulaient si fort que nos deux témoins, qui étaient sur l'autre berge, s'mettent à crier pour rigoler :

– Eh ! là-bas, un peu de silence. Vous allez empêcher vos époux de pêcher.

Le fait est que le petit coutil et moi, nous ne bougions pas plus que deux souches. Nous restions là, le nez sur l'eau, comme si nous n'avions pas entendu.

Cristi de cristi, nous entendions bien pourtant : « Vous n'êtes qu'une menteuse. – Vous n'êtes qu'une traînée. – Vous n'êtes qu'une roulure. – Vous n'êtes qu'une rouchie. » Et va donc, et va donc. Un matelot n'en sait pas plus.

Soudain, j'entends un bruit derrière moi. Je me r'tourne. C'était l'autre, la grosse, qui tombait sur ma femme à coups d'ombrelle. Pan ! pan ! Mélie en r'çoit deux. Mais elle rage Mélie, et puis elle tape, quand elle rage. Elle vous attrape la grosse par les cheveux, et puis v'lan, v'lan, v'lan, des gifles qui pleuvaient comme des prunes.

Moi, je les aurais laissé faire. Les femmes entre elles, les hommes entre eux. Il ne faut pas

mêler les coups. Mais le petit coutil se lève comme un diable et puis il veut sauter sur ma femme. Ah ! mais non ! ah ! mais non ! pas de ça, camarade. Moi je le reçois sur le bout de mon poing, cet oiseau-là. Et gnon, et gnon. Un dans le nez, l'autre dans le ventre. Il lève les bras, il lève la jambe et il tombe sur le dos, en pleine rivière, juste dans l'trou.

Je l'aurais repêché pour sûr, m'sieu l'Président, si j'avais eu le temps tout de suite. Mais, pour comble, la grosse prenait le dessus, et elle vous tripotait Mélie de la belle façon. Je sais bien que j'aurais pas dû la secourir pendant que l'autre buvait son coup. Mais je ne pensais pas qu'il se serait noyé. Je me disais : « Bah ! ça le rafraîchira ! »

Je cours donc aux femmes pour les séparer. Et j'en reçois des gnons, des coups d'ongles et des coups de dents. Cristi, quelles rosses !

Bref, il me fallut bien cinq minutes, peut-être dix, pour séparer ces deux crampons-là.

J'me r'tourne. Pu rien. L'eau calme comme un lac. Et les autres là-bas qui criaient :

– Repêchez-le, repêchez-le.

C'est bon à dire, ça, mais je ne sais pas nager moi, et plonger encore moins, pour sûr !

Enfin le barragiste est venu et deux messieurs avec des gaffes, ça avait bien duré un grand quart d'heure. On l'a retrouvé au fond du trou, sous huit pieds d'eau, comme j'avais dit, mais il y était le petit coutil !

Voilà les faits tels que je les jure. Je suis innocent, sur l'honneur.

★

Les témoins ayant déposé dans le même sens, le prévenu fut acquitté.

Pierrot

A Henri Roujon

Mme Lefèvre était une dame de campagne, une veuve, une de ces demi-paysannes à rubans et à chapeaux falbalas, de ces personnes qui parlent avec des cuirs, prennent en public des airs grandioses, et cachent une âme de brute prétentieuse sous des dehors comiques et chamarrés, comme elles dissimulent leurs grosses mains rouges sous des gants de soie écrue.

Elle avait pour servante une brave campagnarde toute simple, nommée Rose.

Les deux femmes habitaient une petite maison à volets verts, le long d'une route, en Normandie, au centre du pays de Caux.

Comme elles possédaient, devant l'habitation, un étroit jardin, elles cultivaient quelques légumes.

Or, une nuit, on lui vola une douzaine d'oignons.

Dès que Rose s'aperçut du larcin, elle courut prévenir Madame, qui descendit en jupe de laine. Ce fut une désolation et une terreur. On avait volé, volé Mme Lefèvre ! Donc, on volait dans le pays, puis on pouvait revenir.

Et les deux femmes effarées contemplaient les traces de pas, bavardaient, supposaient des choses :

– Tenez, ils ont passé par là. Ils ont mis leurs pieds sur le mur ; ils ont sauté dans la plate-bande.

Et elles s'épouvantaient pour l'avenir. Comment dormir tranquilles maintenant ?

Le bruit du vol se répandit. Les voisins arrivèrent, constatèrent, discutèrent à leur tour ; et les deux femmes expliquaient à chaque nouveau venu leurs observations et leurs idées.

Un fermier d'à côté leur offrit ce conseil :

– Vous devriez avoir un chien.

C'était vrai, cela ; elles devraient avoir un chien, quand ce ne serait que pour donner l'éveil. Pas un gros chien, Seigneur ! Que feraient-elles d'un gros chien ! Il les ruinerait en nourriture. Mais un petit chien (en Normandie, on prononce *quin*), un petit freluquet de *quin* qui jappe.

Dès que tout le monde fut parti, Mme Lefèvre discuta longtemps cette idée de chien. Elle faisait, après réflexion, mille objections, terrifiée par l'image d'une jatte pleine de pâtée ; car elle était de cette race parcimonieuse de dames campagnardes qui portent toujours des centimes dans leur poche pour faire l'aumône ostensiblement aux pauvres des chemins, et donner aux quêtes du dimanche.

Rose, qui aimait les bêtes, apporta ses raisons et les défendit avec astuce. Donc il fut décidé qu'on aurait un chien, un tout petit chien.

On se mit à sa recherche, mais on n'en trouvait que des grands, des avaleurs de soupe à faire frémir. L'épicier de Rolleville en avait bien un, un tout petit ; mais il exigeait qu'on le lui payât deux francs, pour couvrir ses frais d'élevage. Mme Lefèvre déclara qu'elle voulait bien nourrir un « quin », mais qu'elle n'en achèterait pas.

Or, le boulanger, qui savait les événements, apporta, un matin, dans sa voiture, un étrange petit animal tout jaune, presque sans pattes, avec un corps de crocodile, une tête de renard et une queue en trompette, un vrai panache, grand comme tout le reste de sa personne. Un client cherchait à s'en défaire. Mme Lefèvre trouva fort beau ce roquet immonde, qui ne coûtait rien. Rose l'embrassa, puis demanda comment on le nommait. Le boulanger répondit : « Pierrot ».

Il fut installé dans une vieille caisse à savon et on lui offrit d'abord de l'eau à boire. Il but. On lui présenta ensuite un morceau de pain. Il mangea. Mme Lefèvre, inquiète, eut une idée : « Quand il sera bien accoutumé à la maison, on le laissera libre. Il trouvera à manger en rôdant dans le pays. »

On le laissa libre, en effet, ce qui ne l'empêcha

point d'être affamé. Il ne jappait d'ailleurs que pour réclamer sa pitance ; mais, dans ce cas, il jappait avec acharnement.

Tout le monde pouvait entrer dans le jardin. Pierrot allait caresser chaque nouveau venu, et demeurait absolument muet.

Mme Lefèvre cependant s'était accoutumée à cette bête. Elle en arrivait même à l'aimer, et à lui donner de sa main, de temps en temps, des bouchées de pain trempées dans la sauce de son fricot.

Mais elle n'avait nullement songé à l'impôt, et quand on lui réclama huit francs – huit francs, madame ! – pour ce freluquet de *quin* qui ne jappait seulement point, elle faillit s'évanouir de saisissement.

Il fut immédiatement décidé qu'on se débarrasserait de Pierrot. Personne n'en voulut. Tous les habitants le refusèrent à dix lieues aux environs. Alors on se résolut, faute d'autre moyen, à lui faire « piquer du mas ».

« Piquer du mas », c'est « manger de la marne ». On fait piquer du mas à tous les chiens dont on veut se débarrasser.

Au milieu d'une vaste plaine, on aperçoit une espèce de hutte, ou plutôt un tout petit toit de chaume, posé sur le sol. C'est l'entrée de la marnière. Un grand puits tout droit s'enfonce jusqu'à vingt mètres sous terre, pour aboutir à une série de longues galeries de mines.

On descend une fois par an dans cette carrière,

à l'époque où l'on marne les terres. Tout le reste du temps, elle sert de cimetière aux chiens condamnés ; et souvent, quand on passe auprès de l'orifice, des hurlements plaintifs, des aboiements furieux ou désespérés, des appels lamentables montent jusqu'à vous.

Les chiens des chasseurs et des bergers s'enfuient avec épouvante des abords de ce trou gémissant ; et, quand on se penche au-dessus, il sort de là une abominable odeur de pourriture.

Des drames affreux s'y accomplissent dans l'ombre.

Quand une bête agonise depuis dix à douze jours dans le fond, nourrie par les restes immondes de ses devanciers, un nouvel animal, plus gros, plus vigoureux certainement, est précipité tout à coup. Ils sont là, seuls, affamés, les yeux luisants. Ils se guettent, se suivent, hésitent, anxieux. Mais la faim les presse : ils s'attaquent, luttent longtemps, acharnés ; et le plus fort mange le plus faible, le dévore vivant.

Quand il fut décidé qu'on ferait « piquer du mas » à Pierrot, on s'enquit d'un exécuteur. Le cantonnier qui binait la route demanda dix sous pour la course. Cela parut follement exagéré à Mme Lefèvre. Le goujat du voisin se contentait de cinq sous ; c'était trop encore ; et, Rose ayant fait observer qu'il valait mieux qu'elles le portassent elles-mêmes, parce qu'ainsi il ne serait pas brutalisé en route et averti de son sort, il fut résolu qu'elles iraient toutes les deux à la nuit tombante.

On lui offrit, ce soir-là, une bonne soupe avec un doigt de beurre. Il l'avala jusqu'à la dernière goutte ; et, comme il remuait la queue de contentement, Rose le prit dans son tablier.

Elles allaient à grands pas, comme des maraudeuses, à travers la plaine. Bientôt elles aperçurent la marnière et l'atteignirent ; Mme Lefèvre se pencha pour écouter si aucune bête ne gémissait. – Non – il n'y en avait pas ; Pierrot serait seul. Alors Rose, qui pleurait, l'embrassa, puis le lança dans le trou ; et elles se penchèrent toutes deux, l'oreille tendue.

Elles entendirent d'abord un bruit sourd ; puis la plainte aiguë, déchirante, d'une bête blessée, puis une succession de petits cris de douleur, puis des appels désespérés, des supplications de chien qui implorait, la tête levée vers l'ouverture.

Il jappait, oh ! il jappait !

Elles furent saisies de remords, d'épouvante, d'une peur folle et inexplicable ; et elles se sauvèrent en courant. Et, comme Rose allait plus vite, Mme Lefèvre criait :

– Attendez-moi, Rose, attendez-moi !

Leur nuit fut hantée de cauchemars épouvantables.

Mme Lefèvre rêva qu'elle s'asseyait à table pour manger la soupe, mais, quand elle découvrait la soupière, Pierrot était dedans. Il s'élançait et la mordait au nez.

Elle se réveilla et crut l'entendre japper encore. Elle écouta ; elle s'était trompée.

Elle s'endormit de nouveau et se trouva sur une grande route, une route interminable, qu'elle suivait. Tout à coup, au milieu du chemin, elle aperçut un panier, un grand panier de fermier, abandonné ; et ce panier lui faisait peur.

Elle finissait cependant par l'ouvrir, et Pierrot, blotti dedans, lui saisissait la main, ne la lâchait plus ; et elle se sauvait éperdue, portant ainsi au bout du bras le chien suspendu, la gueule serrée.

Au petit jour, elle se leva, presque folle, et courut à la marnière.

Il jappait ; il jappait encore, il avait jappé toute la nuit. Elle se mit à sangloter et l'appela avec mille petits noms caressants. Il répondit avec toutes les inflexions tendres de sa voix de chien.

Alors elle voulut le revoir, se promettant de le rendre heureux jusqu'à sa mort.

Elle courut chez le puisatier chargé de l'extraction de la marne, et elle lui raconta son cas. L'homme écoutait sans rien dire. Quand elle eut fini, il prononça :

– Vous voulez votre *quin* ? Ce sera quatre francs.

Elle eut un sursaut ; toute sa douleur s'envola du coup.

– Quatre francs ! vous vous en feriez mourir ! quatre francs !

Il répondit :

– Vous croyez que j'vas apporter mes cordes, mes manivelles, et monter tout ça, et m'n'aller là-bas avec mon garçon et m'faire mordre encore par votre maudit *quin,* pour l'plaisir de vous le r'donner ? fallait pas l'jeter.

Elle s'en alla, indignée. – Quatre francs !

Aussitôt rentrée, elle appela Rose et lui dit les prétentions du puisatier. Rose, toujours résignée, répétait :

– Quatre francs ! c'est de l'argent, Madame.

Puis, elle ajouta :

– Si on lui jetait à manger, à ce pauvre *quin,* pour qu'il ne meure pas comme ça ?

Mme Lefèvre approuva, toute joyeuse ; et les voilà reparties, avec un gros morceau de pain beurré.

Elles le coupèrent par bouchées qu'elles lançaient l'une après l'autre, parlant tour à tour à Pierrot. Et sitôt que le chien avait achevé un morceau, il jappait pour réclamer le suivant.

Elles revinrent le soir, puis le lendemain, tous les jours. Mais elles ne faisaient plus qu'un voyage.

Or, un matin, au moment de laisser tomber la première bouchée, elles entendirent tout à coup un aboiement formidable dans le puits. Ils étaient deux ! On avait précipité un autre chien, un gros !

Rose cria : « Pierrot ! » Et Pierrot jappa, jappa. Alors on se mit à jeter la nourriture ; mais, chaque fois, elles distinguaient parfaitement une bousculade terrible, puis les cris plaintifs de Pierrot mordu par son compagnon, qui mangeait tout, étant le plus fort.

Elles avaient beau spécifier : « C'est pour toi, Pierrot ! » Pierrot, évidemment, n'avait rien.

Les deux femmes, interdites, se regardaient ; et Mme Lefèvre prononça d'un ton aigre : « Je ne peux pourtant pas nourrir tous les chiens qu'on jettera là-dedans. Il faut y renoncer. »

Et, suffoquée à l'idée de tous ces chiens vivant à ses dépens, elle s'en alla, emportant même ce qui restait du pain qu'elle se mit à manger en marchant.

Rose la suivit en s'essuyant les yeux du coin de son tablier bleu.

La ficelle

Sur toutes les routes autour de Goderville, les paysans et leurs femmes s'en venaient vers le bourg ; car c'était jour de marché. Les mâles allaient, à pas tranquilles, tout le corps en avant à chaque mouvement de leurs longues jambes torses, déformées par les rudes travaux, par la pesée sur la charrue qui fait en même temps monter l'épaule gauche et dévier la taille, par le fauchage des blés qui fait écarter les genoux pour prendre un aplomb solide, par toutes les besognes lentes et pénibles de la campagne. Leur blouse bleue, empesée, brillante, comme vernie, ornée au col et aux poignets d'un petit dessin de fil blanc, gonflée autour de leur torse osseux, semblait un ballon prêt à s'envoler, d'où sortaient une tête, deux bras et deux pieds.

Les uns tiraient au bout d'une corde une vache, un veau. Et leurs femmes, derrière l'animal, lui fouettaient les reins d'une branche encore garnie de feuilles, pour hâter sa marche. Elles portaient au bras de larges paniers d'où sortaient des têtes de poulets par-ci, des têtes de canards par-là. Et elles marchaient d'un pas plus court et plus vif que leurs hommes, la taille sèche, droite et drapée dans un petit châle étriqué, épinglé sur leur poitrine plate, la tête enveloppée d'un linge blanc collé sur les cheveux et surmontée d'un bonnet.

Puis, un char à bancs passait, au trot saccadé d'un bidet, secouant étrangement deux hommes assis côte à côte et une femme dans le fond du véhicule, dont elle tenait le bord pour atténuer les durs cahots.

Sur la place de Goderville, c'était une foule, une cohue d'humains et de bêtes mélangés. Les cornes des bœufs, les hauts chapeaux à longs poils des paysans riches et les coiffes des paysannes émergeaient à la surface de l'assemblée. Et les voix criardes, aiguës, glapissantes formaient une clameur continue et sauvage que dominait parfois un grand éclat poussé par la robuste poitrine d'un campagnard en gaieté, ou le long meuglement d'une vache attachée au mur d'une maison.

Tout cela sentait l'étable, le lait et le fumier, le foin et la sueur, dégageait cette saveur aigre, affreuse, humaine et bestiale, particulière aux gens des champs.

Maître Hauchecorne, de Bréauté, venait d'arriver à Goderville, et il se dirigeait vers la place, quand il aperçut par terre un petit bout de ficelle. Maître Hauchecorne, économe en vrai Normand, pensa que tout était bon à ramasser qui peut servir ; et il se baissa péniblement, car il souffrait de rhumatismes. Il prit, par terre, le morceau de corde mince, et se disposait à le rouler avec soin, quand il remarqua, sur le seuil de sa porte, maître Malandain, le bourrelier, qui le regardait. Ils avaient eu des affaires ensemble au sujet d'un licol, autrefois, et ils étaient restés fâchés, étant rancuniers tous deux. Maître Hauchecorne fut pris d'une sorte de honte d'être vu ainsi, par son ennemi, cherchant dans la crotte un bout de ficelle. Il cacha brusquement sa trouvaille sous sa blouse, puis dans la poche de sa culotte ; puis il fit semblant de chercher encore par terre quelque chose qu'il ne trouvait point, et il s'en alla vers le marché, la tête en avant, courbé en deux par ses douleurs.

Il se perdit aussitôt dans la foule criarde et lente, agitée par les interminables marchandages. Les paysans tâtaient les vaches, s'en allaient, revenaient, perplexes, toujours dans la crainte d'être mis dedans, n'osant jamais se décider, épiant l'œil du vendeur, cherchant sans fin à découvrir la ruse de l'homme et le défaut de la bête.

Les femmes, ayant posé à leurs pieds leurs grands paniers, en avaient tiré leurs volailles qui gisaient par terre, liées par les pattes, l'œil effaré, la crête écarlate.

Elles écoutaient les propositions, maintenaient leurs prix, l'air sec, le visage impassible ; ou bien, tout à coup, se décidant au rabais proposé, criaient au client qui s'éloignait lentement :

– C'est dit, maît' Anthime. J'vous l'donne.

Puis, peu à peu, la place se dépeupla, et l'*Angelus* sonnant midi, ceux qui demeuraient trop loin se répandirent dans les auberges.

Chez Jourdain, la grande salle était pleine de mangeurs, comme la vaste cour était pleine de véhicules de toute race, charrettes, cabriolets, chars à bancs, tilburys, carrioles innommables, jaunes de crotte, déformées, rapiécées, levant au ciel, comme deux bras, leurs brancards, ou bien le nez par terre et le derrière en l'air.

Tout contre les dîneurs attablés, l'immense cheminée, pleine de flamme claire, jetait une chaleur vive dans le dos de la rangée de droite. Trois broches tournaient, chargées de poulets, de pigeons et de gigots ; et une délectable odeur de viande rôtie et de jus ruisselant sur la peau rissolée, s'envolait de l'âtre, allumait les gaietés, mouillait les bouches.

Toute l'aristocratie de la charrue mangeait là, chez maît' Jourdain, aubergiste et maquignon, un malin qui avait des écus.

Les plats passaient, se vidaient comme les brocs de cidre jaune. Chacun racontait ses affaires, ses achats et ses ventes. On prenait des nouvelles des récoltes. Le temps était bon pour les verts, mais un peu mucre pour les blés.

Tout à coup, le tambour roula, dans la cour, devant la maison. Tout le monde aussitôt fut debout, sauf quelques indifférents, et on courut à la porte, aux fenêtres, la bouche encore pleine et la serviette à la main.

Après qu'il eut terminé son roulement, le crieur public lança d'une voix saccadée, scandant ses phrases à contretemps :

– Il est fait assavoir aux habitants de Goder-ville, et en général à toutes – les personnes pré-sentes au marché, qu'il a été perdu ce matin, sur la route de Beuzeville, entre – neuf heures et dix heures, un portefeuille en cuir noir, contenant cinq cents francs et des papiers d'affaires. On est prié de le rapporter – à la marie, incontinent, ou chez maître Fortuné Houlbrèque, de Manneville. Il y aura vingt francs de récompense.

Puis l'homme s'en alla. On entendit encore une fois au loin les battements sourds de l'instrument et la voix affaiblie du crieur.

Alors on se mit à parler de cet événement, en énumérant les chances qu'avait maître Houl-brèque de retrouver ou de ne pas retrouver son portefeuille.

Et le repas s'acheva.

On finissait le café, quand le brigadier de gen-darmerie parut sur le seuil.

Il demanda :

– Maître Hauchecorne, de Bréauté, est-il ici ?

Maître Hauchecorne, assis à l'autre bout de la table, répondit :

– Me v'là.

Et le brigadier reprit :

– Maître Hauchecorne, voulez-vous avoir la complaisance de m'accompagner à la mairie. M. le maire voudrait vous parler.

Le paysan, surpris, inquiet, avala d'un coup son petit verre, se leva et, plus courbé encore que le matin, car les premiers pas après chaque repos étaient particulièrement difficiles, il se mit en route en répétant :

– Me v'là, me v'là.

Et il suivit le brigadier.

Le maire l'attendait, assis dans un fauteuil. C'était le notaire de l'endroit, homme gros, grave, à phrases pompeuses.

– Maître Hauchecorne, dit-il, on vous a vu ce matin ramasser, sur la route de Beuzeville, le portefeuille perdu par maître Houlbrèque, de Manneville.

Le campagnard, interdit, regardait le maire, apeuré déjà par ce soupçon qui pesait sur lui, sans qu'il comprît pourquoi.

– Mé, mé, j'ai ramassé çu portafeuille ?

– Oui, vous-même.

– Parole d'honneur, je n'en ai seulement point eu connaissance.

– On vous a vu.

– On m'a vu, mé ? Qui ça qui m'a vu ?

– M. Malandain, le bourrelier.

Alors le vieux se rappela, comprit et, rougissant de colère :

– Ah ! i m'a vu, çu manant ! I m'a vu ramasser c'te ficelle-là, tenez, m'sieu le Maire.

Et fouillant au fond de sa poche, il en retira le petit bout de corde.

Mais le maire, incrédule, remuait la tête.

– Vous ne me ferez pas accroire, maître Hauchecorne, que M. Malandain, qui est un homme digne de foi, a pris ce fil pour un portefeuille.

Le paysan, furieux, leva la main, cracha de côté pour attester son honneur, répétant :

– C'est pourtant la vérité du bon Dieu, la sainte vérité, m'sieu le Maire. Là, sur mon âme et mon salut, je l'répète.

Le maire reprit :

– Après avoir ramassé l'objet, vous avez même encore cherché longtemps dans la boue, si quelque pièce de monnaie ne s'en était pas échappée.

Le bonhomme suffoquait d'indignation et de peur.

– Si on peut dire !... si on peut dire... des menteries comme ça pour dénaturer un honnête homme ! Si on peut dire !...

Il eut beau protester, on ne le crut pas.

Il fut confronté avec M. Malandain, qui répéta et soutint son affirmation. Ils s'injurièrent une heure durant. On fouilla, sur sa demande, maître Hauchecorne. On ne trouva rien sur lui.

Enfin, le maire, fort perplexe, le renvoya, en le prévenant qu'il allait aviser le parquet et demander des ordres.

La nouvelle s'était répandue. A sa sortie de la

mairie le vieux fut entouré, interrogé avec une curiosité sérieuse ou goguenarde, mais où n'entrait aucune indignation. Et il se mit à raconter l'histoire de la ficelle. On ne le crut pas. On riait.

Il allait, arrêté par tous, arrêtant ses connaissances, recommençant sans fin son récit et ses protestations, montrant ses poches retournées, pour prouver qu'il n'avait rien.

On lui disait :

– Vieux malin, va !

Et il se fâchait, s'exaspérant, enfiévré, désolé de n'être pas cru, ne sachant que faire, et contant toujours son histoire.

La nuit vint. Il fallait partir. Il se mit en route avec trois voisins à qui il montra la place où il avait ramassé le bout de corde ; et tout le long du chemin il parla de son aventure.

Le soir, il fit une tournée dans le village de Bréauté, afin de la dire à tout le monde. Il ne rencontra que des incrédules.

Il en fut malade toute la nuit.

Le lendemain, vers une heure de l'après-midi, Marius Paumelle, valet de ferme de maître Breton, cultivateur à Ymauville, rendait le portefeuille et son contenu à maître Houlbrèque, de Manneville.

Cet homme prétendait avoir, en effet, trouvé l'objet sur la route ; mais, ne sachant pas lire, il l'avait rapporté à la maison et donné à son patron.

La nouvelle se répandit aux environs. Maître

Hauchecorne en fut informé. Il se mit aussitôt en tournée et commença à narrer son histoire complétée du dénouement. Il triomphait.

– C' qui m' faisait deuil, disait-il, c'est point tant la chose, comprenez-vous ; mais c'est la menterie. Y a rien qui vous nuit comme d'être en réprobation pour une menterie.

Tout le jour il parlait de son aventure, il la contait sur les routes aux gens qui passaient, au cabaret aux gens qui buvaient, à la sortie de l'église le dimanche suivant. Il arrêtait des inconnus pour la leur dire. Maintenant, il était tranquille, et pourtant quelque chose le gênait sans qu'il sût au juste ce que c'était. On avait l'air de plaisanter en l'écoutant. On ne paraissait pas convaincu. Il lui semblait sentir des propos derrière son dos.

Le mardi de l'autre semaine, il se rendit au marché de Goderville, uniquement poussé par le besoin de conter son cas.

Malandain, debout sur sa porte, se mit à rire en le voyant passer. Pourquoi ?

Il aborda un fermier de Criquetot, qui ne le laissa pas achever et, lui jetant une tape dans le creux de son ventre, lui cria par la figure : « Gros malin, va ! » Puis lui tourna les talons.

Maître Hauchecorne demeura interdit et de plus en plus inquiet. Pourquoi l'avait-on appelé « gros malin » ?

Quand il fut assis à table, dans l'auberge de Jourdain, il se remit à expliquer l'affaire.

Un maquignon de Montivilliers lui cria :

– Allons, allons vieille pratique, je la connais, ta ficelle !

Hauchecorne balbutia :

– Puisqu'on l'a retrouvé, çu portafeuille !

Mais l'autre reprit :

– Tais-té, mon pé, y en a un qui trouve, et y en a un qui r'porte. Ni vu ni connu, je t'embrouille.

Le paysan resta suffoqué. Il comprenait enfin. On l'accusait d'avoir fait reporter le portefeuille par un compère, par un complice.

Il voulut protester. Toute la table se mit à rire.

Il ne put achever son dîner et s'en alla, au milieu des moqueries.

Il rentra chez lui honteux et indigné, étranglé par la colère, par la confusion, d'autant plus atterré qu'il était capable, avec sa finauderie de Normand, de faire ce dont on l'accusait, et même de s'en vanter comme d'un bon tour. Son innocence lui apparaissait confusément comme impossible à prouver, sa malice étant connue. Et il se sentait frappé au cœur par l'injustice du soupçon.

Alors il recommença à conter l'aventure, en allongeant chaque jour son récit, ajoutant chaque fois des raisons nouvelles, des protestations plus énergiques, des serments plus solennels qu'il imaginait, qu'il préparait dans ses heures de solitude, l'esprit uniquement occupé de l'histoire de la ficelle. On le croyait d'autant moins que sa défense était plus compliquée et son argumentation plus subtile.

– Ça, c'est des raisons d'menteux, disait-on derrière son dos.

Il le sentait, se rongeait les sangs, s'épuisait en efforts inutiles.

Il dépérissait à vue d'œil.

Les plaisants maintenant lui faisaient conter « la Ficelle » pour s'amuser, comme on fait conter sa bataille au soldat qui a fait campagne. Son esprit, atteint à fond, s'affaiblissait.

Vers la fin de décembre, il s'alita.

Il mourut dans les premiers jours de janvier, et, dans le délire de l'agonie, il attestait son innocence, répétant :

– Une 'tite ficelle... une 'tite ficelle... t'nez, la voilà, m'sieu le maire.

Mon oncle Jules

A M. Achille Bénouville

Un vieux pauvre, à barbe blanche, nous demanda l'aumône. Mon camarade Joseph Davranche lui donna cent sous. Je fus surpris. Il me dit :

– Ce misérable m'a rappelé une histoire que je vais te dire et dont le souvenir me poursuit sans cesse. La voici.

★

Ma famille, originaire du Havre, n'était pas riche. On s'en tirait, voilà tout. Le père travaillait, rentrait tard du bureau et ne gagnait pas grand-chose. J'avais deux sœurs.

Ma mère souffrait beaucoup de la gêne où nous vivions, et elle trouvait souvent des paroles aigres pour son mari, des reproches voilés et perfides. Le pauvre homme avait alors un geste qui me navrait. Il se passait la main ouverte sur le front, comme pour essuyer une sueur qui n'existait pas, et il ne répondait rien. Je sentais sa douleur impuissante. On économisait sur tout ; on n'acceptait jamais un dîner, pour n'avoir pas à le rendre ; on achetait les provisions au rabais, les fonds de boutique. Mes sœurs faisaient leurs robes elles-mêmes et avaient de longues discussions sur le prix d'un galon qui valait quinze centimes le mètre. Notre nourriture ordinaire consistait en soupe grasse et bœuf accommodé à toutes les sauces. Cela est sain et réconfortant, paraît-il ; j'aurais préféré autre chose.

On me faisait des scènes abominables pour les boutons perdus et les pantalons déchirés.

Mais chaque dimanche nous allions faire notre tour de jetée en grande tenue. Mon père, en redingote, en grand chapeau, en gants, offrait le bras à ma mère, pavoisée comme un navire un jour de fête. Mes sœurs, prêtes les premières, attendaient le signal du départ ; mais, au dernier moment, on découvrait toujours une tache oubliée sur la redingote du père de famille, et il fallait bien vite l'effacer avec un chiffon mouillé de benzine.

Mon père, gardant son grand chapeau sur la tête, attendait, en manches de chemise, que l'opération fût terminée, tandis que ma mère se hâtait, ayant ajusté ses lunettes de myope, et ôté ses gants pour ne les pas gâter.

On se mettait en route avec cérémonie. Mes

sœurs marchaient devant, en se donnant le bras. Elles étaient en âge de mariage, et on en faisait montre en ville. Je me tenais à gauche de ma mère, dont mon père gardait la droite. Et je me rappelle l'air pompeux de mes pauvres parents dans ces promenades du dimanche, la rigidité de leurs traits, la sévérité de leur allure. Ils avançaient d'un pas grave, le corps droit, les jambes raides, comme si une affaire d'une importance extrême eût dépendu de leur tenue.

Et chaque dimanche, en voyant entrer les grands navires qui revenaient de pays inconnus et lointains, mon père prononçait invariablement les mêmes paroles :

– Hein ! si Jules était là-dedans, quelle surprise !

Mon oncle Jules, le frère de mon père, était le seul espoir de la famille, après en avoir été la terreur. J'avais entendu parler de lui depuis mon enfance, et il me semblait que je l'aurais reconnu du premier coup, tant sa pensée m'était devenue familière. Je savais tous les détails de son existence jusqu'au jour de son départ pour l'Amérique, bien qu'on ne parlât qu'à voix basse de cette période de sa vie.

Il avait eu, paraît-il, une mauvaise conduite, c'est-à-dire qu'il avait mangé quelque argent, ce qui est bien le plus grand des crimes pour les familles pauvres. Chez les riches, un homme qui s'amuse *fait des bêtises.* Il est ce qu'on appelle, en souriant, un noceur. Chez les nécessiteux, un garçon qui force les parents à écorner le capital devient un mauvais sujet, un gueux, un drôle !

Et cette distinction est juste, bien que le fait soit le même, car les conséquences seules déterminent la gravité de l'acte.

Enfin l'oncle Jules avait notablement diminué l'héritage sur lequel comptait mon père ; après avoir d'ailleurs mangé sa part jusqu'au dernier sou.

On l'avait embarqué pour l'Amérique, comme on faisait alors, sur un navire marchand allant du Havre à New York.

Une fois là-bas, mon oncle Jules s'établit marchand de je ne sais quoi, et il écrivit bientôt qu'il gagnait un peu d'argent et qu'il espérait pouvoir dédommager mon père du tort qu'il lui avait fait. Cette lettre causa dans la famille une émotion profonde. Jules, qui ne valait pas, comme on dit, les quatre fers d'un chien, devint tout à coup un honnête homme, un garçon de cœur, un vrai Davranche, intègre comme tous les Davranche.

Un capitaine nous apprit en outre qu'il avait loué une grande boutique et qu'il faisait un commerce important.

Une seconde lettre, deux ans plus tard, disait : « Mon cher Philippe, je t'écris pour que tu ne t'inquiètes pas de ma santé, qui est bonne. Les affaires aussi vont bien. Je pars demain pour un long voyage dans l'Amérique du Sud. Je serai peut-être plusieurs années sans te donner de mes nouvelles. Si je ne t'écris pas, ne sois pas inquiet.

Je reviendrai au Havre une fois fortune faite. J'espère que ce ne sera pas trop long, et nous vivrons heureux ensemble... »

Cette lettre était devenue l'évangile de la famille. On la lisait à tout propos, on la montrait à tout le monde.

Pendant dix ans, en effet, l'oncle Jules ne donna plus de nouvelles ; mais l'espoir de mon père grandissait à mesure que le temps marchait ; et ma mère aussi disait souvent :

– Quand ce bon Jules sera là, notre situation changera. En voilà un qui a su se tirer d'affaire !

Et chaque dimanche, en regardant venir de l'horizon les gros vapeurs noirs vomissant sur le ciel des serpents de fumée, mon père répétait sa phrase éternelle :

– Hein ! si Jules était là-dedans, quelle surprise !

Et on s'attendait presque à le voir agiter un mouchoir, et crier :

– Ohé ! Philippe.

On avait échafaudé mille projets sur ce retour assuré ; on devait même acheter, avec l'argent de l'oncle, une petite maison de campagne près d'Ingouville. Je n'affirmerais pas que mon père n'eût point entamé déjà des négociations à ce sujet.

L'aînée de mes sœurs avait alors vingt-huit ans ; l'autre vingt-six. Elles ne se mariaient pas, et c'était là un gros chagrin pour tout le monde.

Un prétendant enfin se présenta pour la

seconde. Un employé, pas riche, mais honorable. J'ai toujours eu la conviction que la lettre de l'oncle Jules, montrée un soir, avait terminé les hésitations et emporté la résolution du jeune homme.

On l'accepta avec empressement, et il fut décidé qu'après le mariage toute la famille ferait ensemble un petit voyage à Jersey.

Jersey est l'idéal du voyage pour les gens pauvres. Ce n'est pas loin ; on passe la mer dans un paquebot et on est en terre étrangère, cet îlot appartenant aux Anglais. Donc, un Français, avec deux heures de navigation, peut s'offrir la vue d'un peuple voisin chez lui et étudier les mœurs, déplorables d'ailleurs, de cette île couverte par le pavillon britannique, comme disent les gens qui parlent avec simplicité.

Ce voyage de Jersey devint notre préoccupation, notre unique attente, notre rêve de tous les instants.

On partit enfin. Je vois cela comme si c'était d'hier : le vapeur chauffant contre le quai de Granville ; mon père, effaré, surveillant l'embarquement de nos trois colis ; ma mère inquiète ayant pris le bras de ma sœur non mariée, qui semblait perdue depuis le départ de l'autre, comme un poulet resté seul de sa couvée ; et, derrière nous, les nouveaux époux qui restaient toujours en arrière, ce qui me faisait souvent tourner la tête.

Le bâtiment siffla. Nous voici montés, et le

navire, quittant la jetée, s'éloigna sur une mer plate comme une table de marbre vert. Nous regardions les côtes s'enfuir, heureux et fiers comme tous ceux qui voyagent peu.

Mon père tendait son ventre, sous sa redingote dont on avait, le matin même, effacé avec soin toutes les taches, et il répandait autour de lui cette odeur de benzine des jours de sortie, qui me faisait reconnaître les dimanches.

Tout à coup, il avisa deux dames élégantes à qui deux messieurs offraient des huîtres. Un vieux matelot déguenillé ouvrait d'un coup de couteau les coquilles et les passait aux messieurs, qui les tendaient ensuite aux dames. Elles mangeaient d'une manière délicate, en tenant l'écaille sur un mouchoir fin et en avançant la bouche pour ne point tacher leurs robes. Puis elles buvaient l'eau d'un petit mouvement rapide et jetaient la coquille à la mer.

Mon père, sans doute, fut séduit par cet acte distingué de manger des huîtres sur un navire en marche. Il trouva cela bon genre, raffiné, supérieur, et il s'approcha de ma mère et de mes sœurs en demandant :

– Voulez-vous que je vous offre quelques huîtres ?

Ma mère hésitait, à cause de la dépense ; mais mes deux sœurs acceptèrent tout de suite. Ma mère dit, d'un ton contrarié :

– J'ai peur de me faire mal à l'estomac. Offre ça aux enfants seulement, mais pas trop, tu les rendrais malades.

Puis, se tournant vers moi, elle ajouta :

– Quant à Joseph, il n'en a pas besoin ; il ne faut point gâter les garçons.

Je restai donc à côté de ma mère, trouvant injuste cette distinction. Je suivais de l'œil mon père, qui conduisait pompeusement ses deux filles et son gendre vers le vieux matelot déguenillé.

Les deux dames venaient de partir, et mon père indiquait à mes sœurs comment il fallait s'y prendre pour manger sans laisser couler l'eau ; il voulut même donner l'exemple et il s'empara d'une huître. En essayant d'imiter les dames, il renversa immédiatement tout le liquide sur sa redingote et j'entendis ma mère murmurer :

– Il ferait mieux de se tenir tranquille.

Mais tout à coup mon père me parut inquiet ; il s'éloigna de quelques pas, regarda fixement sa famille pressée autour de l'écailleur, et, brusquement, il vint vers nous. Il me sembla fort pâle, avec des yeux singuliers. Il dit, à mi-voix, à ma mère :

– C'est extraordinaire, comme cet homme qui ouvre les huîtres ressemble à Jules.

Ma mère, interdite, demanda :

– Quel Jules ?...

Mon père reprit :

– Mais... mon frère... Si je ne le savais pas en bonne position, en Amérique, je croirais que c'est lui.

Ma mère effarée balbutia :

– Tu es fou ! Du moment que tu sais bien que ce n'est pas lui, pourquoi dire ces bêtises-là ?

Mais mon père insistait :

– Va donc le voir, Clarisse ; j'aime mieux que tu t'en assures toi-même, de tes propres yeux.

Elle se leva et alla rejoindre ses filles. Moi aussi, je regardais l'homme. Il était vieux, sale, tout ridé, et ne détournait pas le regard de sa besogne.

Ma mère revint. Je m'aperçus qu'elle tremblait. Elle prononça très vite :

– Je crois que c'est lui. Va donc demander des renseignements au capitaine. Surtout sois prudent, pour que ce garnement ne nous retombe pas sur les bras, maintenant !

Mon père s'éloigna, mais je le suivis. Je me sentais étrangement ému.

Le capitaine, un grand monsieur, maigre, à longs favoris, se promenait sur la passerelle d'un air important, comme s'il eût commandé le courrier des Indes.

Mon père l'aborda avec cérémonie, en l'interrogeant sur son métier avec accompagnement de compliments :

– Quelle était l'importance de Jersey ? Ses productions ? Sa population ? Ses mœurs ? Ses coutumes ? La nature du sol, etc.

On eût cru qu'il s'agissait au moins des États-Unis d'Amérique.

Puis on parla du bâtiment qui nous portait, l'*Express ;* puis on en vint à l'équipage. Mon père, enfin, d'une voix troublée :

– Vous avez là un vieil écailleur d'huîtres qui paraît bien intéressant. Savez-vous quelques détails sur ce bonhomme ?

Le capitaine, que cette conversation finissait par irriter, répondit sèchement :

– C'est un vieux vagabond français que j'ai trouvé en Amérique l'an dernier, et que j'ai rapatrié. Il a, paraît-il, des parents au Havre, mais il ne veut pas retourner près d'eux, parce qu'il leur doit de l'argent. Il s'appelle Jules... Jules Darmanche ou Darvanche, quelque chose comme ça, enfin. Il paraît qu'il a été riche un moment là-bas, mais vous voyez où il en est réduit maintenant.

Mon père qui devenait livide, articula, la gorge serrée, les yeux hagards :

– Ah ! ah ! très bien..., fort bien... Cela ne m'étonne pas... Je vous remercie beaucoup, capitaine.

Et il s'en alla, tandis que le marin le regardait s'éloigner avec stupeur.

Il revint auprès de ma mère, tellement décomposé qu'elle lui dit :

– Assieds-toi ; on va s'apercevoir de quelque chose.

Il tomba sur le banc en bégayant :

– C'est lui, c'est bien lui !

Puis il demanda :

– Qu'allons-nous faire ?...

Elle répondit vivement :

– Il faut éloigner les enfants. Puisque Joseph sait tout, il va aller les chercher. Il faut prendre garde surtout que notre gendre ne se doute de rien.

Mon père paraissait atterré. Il murmura :

– Quelle catastrophe !

Ma mère ajouta, devenue tout à coup furieuse :

– Je me suis toujours doutée que ce voleur ne ferait rien, et qu'il nous retomberait sur le dos ! Comme si on pouvait attendre quelque chose d'un Davranche !...

Et mon père se passa la main sur le front, comme il faisait sous les reproches de sa femme.

Elle ajouta :

– Donne de l'argent à Joseph pour qu'il aille payer ces huîtres, à présent. Il ne manquerait plus que d'être reconnus par ce mendiant. Cela ferait un joli effet sur le navire. Allons-nous-en à l'autre bout, et fais en sorte que cet homme n'approche pas de nous !

Elle se leva, et ils s'éloignèrent après m'avoir remis une pièce de cent sous.

Mes sœurs, surprises, attendaient leur père. J'affirmai que maman s'était trouvée un peu gênée par la mer, et je demandai à l'ouvreur d'huîtres :

– Combien est-ce que nous vous devons, monsieur ?

J'avais envie de dire : mon oncle.

Il répondit :

– Deux francs cinquante.

Je tendis mes cent sous et il me rendit la monnaie.

Je regardais sa main, une pauvre main de matelot toute plissée, et je regardais son visage, un vieux et misérable visage, triste, accablé, en me disant :

– C'est mon oncle, le frère de papa, mon oncle !

Je lui laissai dix sous de pourboire. Il me remercia :

– Dieu vous bénisse, mon jeune monsieur !

Avec l'accent d'un pauvre qui reçoit l'aumône. Je pensai qu'il avait dû mendier, là-bas !

Mes sœurs me contemplaient, stupéfaites de ma générosité.

Quand je remis les deux francs à mon père, ma mère, surprise, demanda :

– Il y en avait pour trois francs ?... Ce n'est pas possible.

Je déclarai d'une voix ferme :

– J'ai donné dix sous de pourboire.

Ma mère eut un sursaut et me regarda dans les yeux :

– Tu es fou ! Donner dix sous à cet homme, à ce gueux !...

Elle s'arrêta sous un regard de mon père, qui désignait son gendre.

Puis on se tut.

Devant nous, à l'horizon, une ombre violette semblait sortir de la mer. C'était Jersey.

Lorsqu'on approcha des jetées, un désir violent me vint au cœur de voir encore une fois mon oncle Jules, de m'approcher, de lui dire quelque chose de consolant, de tendre.

Mais, comme personne ne mangeait plus d'huîtres, il avait disparu, descendu sans doute au fond de la cale infecte où logeait ce misérable.

Et nous sommes revenus par le bateau de Saint-Malo, pour ne pas le rencontrer. Ma mère était dévorée d'inquiétude.

Je n'ai jamais revu le frère de mon père !

Voilà pourquoi tu me verras quelquefois donner cent sous aux vagabonds.

Denis

A Léon Chapron

I

M. Marambot ouvrit la lettre que lui remettait Denis, son serviteur, et il sourit. Denis, depuis vingt ans dans la maison, petit homme trapu et jovial, qu'on citait dans toute la contrée comme le modèle des domestiques, demanda :

– Monsieur est content, Monsieur a reçu une bonne nouvelle ?

M. Marambot n'était pas riche. Ancien pharmacien de village, célibataire, il vivait d'un petit revenu acquis avec peine en vendant des drogues aux paysans. Il répondit :

– Oui, mon garçon. Le père Malois recule devant le procès dont je le menace ; je recevrai demain mon argent. Cinq mille francs ne font pas de mal dans la caisse d'un vieux garçon.

Et M. Marambot se frottait les mains. C'était un homme d'un caractère résigné, plutôt triste que gai, incapable d'un effort prolongé, nonchalant dans ses affaires.

Il aurait pu certainement gagner une aisance plus considérable en profitant du décès de confrères établis en des centres importants, pour aller occuper leur place et prendre leur clientèle. Mais l'ennui de déménager, et la pensée de toutes les démarches qu'il lui faudrait accomplir, l'avaient sans cesse retenu ; et il se contentait de dire après deux jours de réflexion :

– Baste ! ce sera pour la prochaine fois. Je ne perds rien à attendre. Je trouverai mieux peut-être.

Denis, au contraire, poussait son maître aux entreprises. D'un caractère actif, il répétait sans cesse :

– Oh ! moi, si j'avais eu le premier capital, j'aurais fait fortune. Seulement mille francs, et je tenais mon affaire.

M. Marambot souriait sans répondre et sortait dans son petit jardin, où il se promenait, les mains derrière le dos, en rêvassant.

Denis, tout le jour, chanta, comme un homme en joie, des refrains et des rondes du pays. Il montra même une activité inusitée, car il nettoya les carreaux de toute la maison, essuyant le verre avec ardeur, en entonnant à plein gosier ses couplets.

M. Marambot, étonné de son zèle, lui dit à plusieurs reprises, en souriant :

– Si tu travailles comme ça, mon garçon, tu ne garderas rien à faire pour demain.

Le lendemain, vers neuf heures du matin, le facteur remit à Denis quatre lettres pour son maître, dont une très lourde. M. Marambot s'enferma aussitôt dans sa chambre jusqu'au milieu de l'après-midi. Il confia alors à son domestique quatre enveloppes pour la poste. Une d'elles était adressée à M. Malois, c'était sans doute un reçu de l'argent.

Denis ne posa point de questions à son maître ; il parut aussi triste et sombre ce jour-là, qu'il avait été joyeux la veille.

La nuit vint. M. Marambot se coucha à son heure ordinaire et s'endormit.

Il fut réveillé par un bruit singulier. Il s'assit aussitôt dans son lit et écouta. Mais brusquement sa porte s'ouvrit, et Denis parut sur le seuil, tenant une bougie d'une main, un couteau de cuisine de l'autre, avec de gros yeux fixes, la lèvre et les joues contractées comme celles des gens qu'agite une horrible émotion, et si pâle qu'il semblait un revenant.

M. Marambot, interdit, le crut devenu somnambule, et il allait se lever pour courir au-devant de lui, quand le domestique souffla la bougie en se ruant vers le lit. Son maître tendit les mains en avant pour recevoir le choc qui le renversa sur le dos ; et il cherchait à saisir les mains de son domestique qu'il pensait maintenant atteint de folie, afin de parer les coups précipités qu'il lui portait.

Il fut atteint une première fois à l'épaule par le couteau, une seconde fois au front, une troisième fois à la poitrine. Il se débattait éperdument, agitant ses mains dans l'obscurité, lançant aussi des coups de pied et criant :

– Denis ! Denis ! es-tu fou, voyons, Denis !

Mais l'autre, haletant, s'acharnait, frappait toujours, repoussé tantôt d'un coup de pied, tantôt d'un coup de poing, et revenant furieusement. M. Marambot fut encore blessé deux fois à la jambe et une fois au ventre. Mais soudain une pensée rapide lui traversa l'esprit et il se mit à crier :

– Finis donc, finis donc, Denis, je n'ai pas reçu mon argent.

L'homme aussitôt s'arrêta ; et son maître entendait, dans l'obscurité, sa respiration sifflante.

M. Marambot reprit aussitôt :

– Je n'ai rien reçu. M. Malois se dédit, le procès va avoir lieu ; c'est pour ça que tu as porté les lettres à la poste. Lis plutôt celles qui sont sur mon secrétaire.

Et, d'un dernier effort, il saisit les allumettes sur sa table de nuit et alluma sa bougie.

Il était couvert de sang. Des jets brûlants avaient éclaboussé le mur. Les draps, les rideaux, tout était rouge. Denis, sanglant aussi des pieds à la tête, se tenait debout au milieu de la chambre.

Quand il vit cela. M. Marambot se crut mort, et il perdit connaissance.

Il se ranima au point du jour. Il fut quelque temps avant de reprendre ses sens, de comprendre, de se rappeler. Mais soudain le souvenir de l'attentat et de ses blessures lui revint, et une peur si véhémente l'envahit, qu'il ferma les yeux pour ne rien voir. Au bout de quelques minutes son épouvante se calma, et il réfléchit. Il n'était pas mort sur le coup, il pouvait donc en revenir. Il se sentait faible, très faible, mais sans souffrance vive, bien qu'il éprouvât en divers points du corps une gêne sensible, comme des pinçures. Il se sentait aussi glacé, et tout mouillé, et serré, comme roulé, dans des bandelettes. Il pensa que cette humidité venait du sang répandu ; et des frissons d'angoisse le secouaient à la pensée affreuse de ce liquide rougi sorti de ses veines et dont son lit était couvert. L'idée de revoir ce spectacle épouvantable le bouleversait et il tenait ses yeux fermés avec force comme s'ils allaient s'ouvrir malgré lui.

Qu'était devenu Denis ? Il s'était sauvé, probablement.

Mais qu'allait-il faire, maintenant, lui, Marambot ? Se lever ? appeler au secours ? Or, s'il faisait un seul mouvement, ses blessures se rouvriraient sans aucun doute ; et il tomberait mort au bout de son sang.

Tout à coup, il entendit pousser la porte de sa chambre. Son cœur cessa presque de battre. C'était Denis qui venait l'achever, certainement. Il retint sa respiration pour que l'assassin crût tout bien fini, l'ouvrage terminé.

Il sentit qu'on relevait son drap, puis qu'on lui palpait le ventre. Une douleur vive, près de la hanche, le fit tressaillir. On le lavait maintenant avec de l'eau fraîche, tout doucement. Donc, on avait découvert le forfait et on le soignait, on le sauvait. Une joie éperdue le saisit ; mais, par un geste de prudence, il ne voulut pas montrer qu'il avait repris connaissance, et il entrouvrit un œil, un seul, avec les plus grandes précautions.

Il reconnut Denis debout près de lui, Denis en personne ! Miséricorde ! Il referma son œil avec précipitation.

Denis ! Que faisait-il alors ? Que voulait-il ? Quel projet affreux nourrissait-il encore ?

Ce qu'il faisait ? Mais il le lavait pour effacer les traces ! Et il allait l'enfouir maintenant dans le jardin, à dix pieds sous terre, pour qu'on ne le découvrît pas ? Ou peut-être dans la cave, sous les bouteilles de vin fin ?

Et M. Marambot se mit à trembler si fort que tous ses membres palpitaient.

Il se disait : « Je suis perdu, perdu ! » Et il serrait désespérément les paupières pour ne pas voir arriver le dernier coup de couteau. Il ne le reçut pas. Denis, maintenant, le soulevait et le ligaturait dans un linge. Puis il se mit à panser la plaie de la jambe avec soin, comme il avait appris à le faire quand son maître était pharmacien.

Aucune hésitation n'était plus possible pour un homme du métier : son domestique, après avoir voulu le tuer, essayait de le sauver.

Alors M. Marambot, d'une voix mourante, lui donna ce conseil pratique :

– Opère les lavages et les pansements avec de l'eau coupée de coaltar saponiné !

Denis répondit :

– C'est ce que je fais, Monsieur.

M. Marambot ouvrit les deux yeux.

Il n'y avait plus de trace de sang ni sur le lit, ni dans la chambre, ni sur l'assassin. Le blessé était étendu en des draps bien blancs.

Les deux hommes se regardèrent.

Enfin, M. Marambot prononça avec douceur :

– Tu as commis un grand crime.

Denis répondit :

– Je suis en train de le réparer, Monsieur. Si vous ne me dénoncez pas, je vous servirai fidèlement comme par le passé.

Ce n'était pas le moment de mécontenter son domestique. M. Marambot articula en refermant les yeux :

– Je te jure de ne pas te dénoncer.

II

Denis sauva son maître. Il passa les nuits et les jours sans sommeil, ne quitta point la chambre du malade, lui prépara les drogues, les tisanes, les potions, lui tâtant le pouls, comptant anxieusement les pulsations, le maniant avec une habileté de garde-malade et un dévouement de fils.

A tout moment il demandait :

– Eh bien, Monsieur, comment vous trouvez-vous ?

M. Marambot répondait d'une voix faible :

– Un peu mieux, mon garçon, je te remercie.

Et quand le blessé s'éveillait, la nuit, il voyait souvent son gardien qui pleurait dans son fauteuil et s'essuyait les yeux en silence.

Jamais l'ancien pharmacien n'avait été si bien soigné, si dorloté, si câliné. Il s'était dit tout d'abord :

– Dès que je serai guéri, je me débarrasserai de ce garnement.

Il entrait maintenant en convalescence et remettait de jour en jour le moment de se séparer de son meurtrier. Il songeait que personne n'aurait pour lui autant d'égards et d'attentions, qu'il tenait ce garçon par la peur ; et il le prévint qu'il avait déposé chez un notaire un testament le dénonçant à la justice s'il arrivait quelque accident nouveau.

Cette précaution lui paraissait le garantir dans l'avenir de tout nouvel attentat ; et il se demandait alors s'il ne serait même pas plus prudent de conserver près de lui cet homme, pour le surveiller attentivement.

Comme autrefois, quand il hésitait à acquérir quelque pharmacie plus importante, il ne se pouvait décider à prendre une résolution.

– Il sera toujours temps, se disait-il.

Denis continuait à se montrer un incomparable serviteur. M. Marambot était guéri. Il le garda.

Or, un matin, comme il achevait de déjeuner, il entendit tout à coup un grand bruit dans la cuisine. Il y courut. Denis se débattait, saisi par deux gendarmes. Le brigadier prenait gravement des notes sur son carnet.

Dès qu'il aperçut son maître, le domestique se mit à sangloter, criant :

— Vous m'avez dénoncé, Monsieur ; ce n'est pas bien, après ce que vous m'aviez promis. Vous manquez à votre parole d'honneur, monsieur Marambot ; ce n'est pas bien, ce n'est pas bien !...

M. Marambot, stupéfait et désolé d'être soupçonné, leva la main :

— Je te jure devant Dieu, mon garçon, que je ne t'ai pas dénoncé. J'ignore absolument comment messieurs les gendarmes ont pu connaître la tentative d'assassinat sur moi.

Le brigadier eut un sursaut :

— Vous dites qu'il a voulu vous tuer, monsieur Marambot ?

Le pharmacien, éperdu, répondit :

— Mais, oui... Mais je ne l'ai pas dénoncé... Je n'ai rien dit... Je jure que je n'ai rien dit... Il me servait très bien depuis ce moment-là...

Le brigadier articula sévèrement :

— Je prends note de votre déposition. La justice appréciera ce nouveau motif dont elle ignorait, monsieur Marambot. Je suis chargé d'arrêter votre domestique pour vol de deux canards enlevés subrepticement par lui chez M. Duhamel, pour lesquels il y a des témoins du délit. Je vous demande pardon, monsieur Marambot. Je rendrai compte de votre déclaration.

Et, se tournant vers ses hommes, il commanda :

– Allons, en route !

Les deux gendarmes entraînèrent Denis.

III

L'avocat venait de plaider la folie, appuyant les deux délits l'un sur l'autre pour fortifier son argumentation. Il avait clairement prouvé que le vol des canards provenait du même état mental que les huit coups de couteau dans la personne de Marambot. Il avait finement analysé toutes les phases de cet état passager d'aliénation mentale, qui céderait, sans aucun doute, à un traitement de quelques mois dans une excellente maison de santé. Il avait parlé en termes enthousiastes du dévouement continu de cet honnête serviteur, des soins incomparables dont il avait entouré son maître blessé par lui dans une seconde d'égarement.

Touché jusqu'au cœur par ce souvenir, M. Marambot se sentit les yeux humides.

L'avocat s'en aperçut, ouvrit les bras d'un geste large déployant ses longues manches noires comme des ailes de chauve-souris. Et, d'un ton vibrant, il cria :

– Regardez, regardez, regardez, messieurs les jurés, regardez ces larmes. Qu'ai-je à dire maintenant pour mon client ? Quel discours, quel argument, quel raisonnement vaudraient ces larmes de son maître ! Elles parlent plus haut que moi, plus haut que la loi ; elles crient : « Pardon pour l'insensé d'une heure ! » Elles implorent, elles absolvent, elles bénissent !

Il se tut, et s'assit.

Le président, alors se tournant vers Marambot, dont la déposition avait été excellente pour son domestique lui demanda :

– Mais enfin, monsieur, en admettant même que vous ayez considéré cet homme comme dément, cela n'explique pas que vous l'ayez gardé. Il n'en était pas moins dangereux.

Marambot répondit en s'essuyant les yeux :

– Que voulez-vous, monsieur le président, on a tant de mal à trouver des domestiques par le temps qui court... je n'aurais pas rencontré mieux.

Denis fut acquitté et mis, aux frais de son maître, dans un asile d'aliénés.

La peur

A J.-K. Huysmans

On remonta sur le pont après dîner. Devant nous, la Méditerranée n'avait pas un frisson sur toute sa surface, qu'une grande lune calme moirait. Le vaste bateau glissait, jetant sur le ciel, qui semblait ensemencé d'étoiles, un gros serpent de fumée noire ; et, derrière nous, l'eau toute blanche, agitée par le passage rapide du lourd bâtiment, battue par l'hélice, moussait, semblait se tordre, remuait tant de clartés qu'on eût dit de la lumière de lune bouillonnant.

Nous étions là, six ou huit, silencieux, admirant, l'œil tourné vers l'Afrique lointaine où nous allions. Le commandant, qui fumait un cigare au milieu de nous, reprit soudain la conversation du dîner.

– Oui, j'ai eu peur ce jour-là. Mon navire est resté six heures avec ce rocher dans le ventre, battu par la mer. Heureusement que nous avons été recueillis, vers le soir, par un charbonnier anglais qui nous aperçut.

Alors un grand homme à figure brûlée, à l'aspect grave, un de ces hommes qu'on sent avoir traversé de longs pays inconnus, au milieu de dangers incessants, et dont l'œil tranquille semble garder, dans sa profondeur, quelque chose des paysages étranges qu'il a vus ; un de ces hommes qu'on devine trempés dans le courage, parla pour la première fois :

— Vous dites, commandant, que vous avez eu peur ; je n'en crois rien. Vous vous trompez sur le mot et sur la sensation que vous avez éprouvée. Un homme énergique n'a jamais peur en face du danger pressant. Il est ému, agité, anxieux ; mais la peur, c'est autre chose.

Le commandant reprit en riant :

— Fichtre ! je vous réponds bien que j'ai eu peur, moi.

Alors l'homme au teint bronzé prononça d'une voix lente :

★

Permettez-moi de m'expliquer ! La peur (et les hommes les plus hardis peuvent avoir peur), c'est quelque chose d'effroyable, une sensation atroce, comme une décomposition de l'âme, un spasme affreux de la pensée et du cœur, dont le souvenir seul donne des frissons d'angoisse. Mais cela n'a lieu, quand on est brave, ni devant une attaque, ni devant la mort inévitable, ni devant toutes les formes connues du péril ; cela a lieu dans certaines circonstances anormales, sous certaines influences mystérieuses, en face de risques vagues. La vraie peur, c'est quelque chose comme une réminiscence des terreurs fantastiques d'autrefois. Un homme qui croit aux revenants, et qui s'imagine apercevoir un spectre dans la nuit, doit éprouver la peur en toute son épouvantable horreur.

Moi, j'ai deviné la peur en plein jour, il y a dix ans environ. Je l'ai ressentie, l'hiver dernier, par une nuit de décembre.

Et, pourtant, j'ai traversé bien des hasards, bien des aventures qui semblaient mortelles. Je me suis battu souvent. J'ai été laissé pour mort par des voleurs. J'ai été condamné, comme insurgé, à être pendu, en Amérique, et jeté à la mer du pont d'un bâtiment sur les côtes de Chine. Chaque fois je me suis cru perdu, j'en ai pris immédiatement mon parti, sans attendrissement et même sans regrets.

Mais la peur, ce n'est pas cela.

Je l'ai pressentie en Afrique. Et pourtant elle est fille du Nord ; le soleil la dissipe comme un brouillard. Remarquez bien ceci, messieurs. Chez les Orientaux, la vie ne compte pour rien ; on est résigné tout de suite ; les nuits sont claires et vides de légendes, les âmes aussi vides des inquiétudes sombres qui hantent les cerveaux dans les pays froids. En Orient, on peut connaître la panique, on ignore la peur.

Eh bien ! voici ce qui m'est arrivé sur cette terre d'Afrique :

Je traversais les grandes dunes au sud de Ouargla. C'est là un des plus étranges pays du monde. Vous connaissez le sable uni, le sable droit des interminables plages de l'Océan. Eh bien ! figurez-vous l'Océan lui-même devenu sable au milieu d'un ouragan ; imaginez une tempête silencieuse de vagues immobiles en poussière jaune. Elles sont hautes comme des montagnes, ces vagues inégales, différentes, soulevées tout à fait comme des flots déchaînés, mais plus grandes encore, et striées comme de la moire. Sur cette mer furieuse, muette et sans mouvement, le dévorant soleil du sud verse sa flamme implacable et directe. Il faut gravir ces lames de cendre d'or, redescendre, gravir encore, gravir sans cesse, sans repos et sans ombre. Les chevaux râlent, enfoncent jusqu'aux genoux, et glissent en dévalant l'autre versant des surprenantes collines.

Nous étions deux amis suivis de huit spahis et de quatre chameaux avec leurs chameliers. Nous ne parlions plus, accablés de chaleur, de fatigue, et desséchés de soif comme ce désert ardent. Soudain un de ces hommes poussa une sorte de cri ; tous s'arrêtèrent ; et nous demeurâmes immobiles, surpris par un inexplicable phénomène connu des voyageurs en ces contrées perdues.

Quelque part, près de nous, dans une direction indéterminée, un tambour battait, le mystérieux tambour des dunes ; il battait distinctement, tantôt plus vibrant, tantôt affaibli, arrêtant, puis reprenant son roulement fantastique.

Les Arabes, épouvantés, se regardaient ; et l'un dit, en sa langue : « La mort est sur nous. » Et voilà que tout à coup mon compagnon, mon ami, presque mon frère, tomba de cheval, la tête en avant, foudroyé par une insolation.

Et pendant deux heures, pendant que j'essayais en vain de le sauver, toujours ce tambour insaissississable m'emplissait l'oreille de son bruit monotone, intermittent et incompréhensible ; et je sentais se glisser dans mes os la peur, la vraie peur, la hideuse peur, en face de ce cadavre aimé, dans ce trou incendié par le soleil entre quatre monts de sable, tandis que l'écho inconnu nous jetait, à deux cents lieues de tout village français, le battement rapide du tambour.

Ce jour-là, je compris ce que c'était que d'avoir peur ; je l'ai su mieux encore une autre fois...

Le commandant interrompit le conteur :
– Pardon, monsieur, mais ce tambour ? Qu'était-ce ?
Le voyageur répondit :

Je n'en sais rien. Personne ne sait. Les officiers, surpris souvent par ce bruit singulier, l'attribuent généralement à l'écho grossi, multiplié, démesurément enflé par les vallonnements des dunes, d'une grêle de grains de sable emportés dans le vent et heurtant une touffe d'herbes sèches ; car on a toujours remarqué que le phénomène se produit dans le voisinage de petites plantes brûlées par le soleil, et dures comme du parchemin.

Ce tambour ne serait donc qu'une sorte de mirage du son. Voilà tout. Mais je n'appris cela que plus tard.

J'arrive à ma seconde émotion.

C'était l'hiver dernier, dans une forêt du nord-est de la France. La nuit vint deux heures plus tôt, tant le ciel était sombre. J'avais pour guide un paysan qui marchait à mon côté, par un tout petit chemin, sous une voûte de sapins dont le vent déchaîné tirait des hurlements. Entre les cimes, je voyais courir des nuages en déroute, des nuages éperdus qui semblaient fuir devant une épouvante. Parfois, sous une immense rafale, toute la forêt s'inclinait dans le même sens avec un gémissement de souffrance ; et le froid m'envahissait, malgré mon pas rapide et mon lourd vêtement.

Nous devions souper et coucher chez un garde forestier dont la maison n'était plus éloignée de nous. J'allais là pour chasser.

Mon guide, parfois, levait les yeux et murmurait : « Triste temps ! » Puis il me parla des gens chez qui nous arrivions. Le père avait tué un braconnier deux ans auparavant, et, depuis ce

144

temps, il semblait sombre, comme hanté d'un souvenir. Ses deux fils, mariés, vivaient avec lui.

Les ténèbres étaient profondes. Je ne voyais rien devant moi, et toute la branchure des arbres entrechoqués emplissait la nuit d'une rumeur incessante. Enfin, j'aperçus une lumière, et bientôt mon compagnon heurtait une porte. Des cris aigus de femmes nous répondirent. Puis, une voix d'homme, une voix étranglée, demanda : « Qui va là ? » Mon guide se nomma. Nous entrâmes. Ce fut un inoubliable tableau.

Un vieux homme à cheveux blancs, à l'œil fou, le fusil chargé dans la main, nous attendait debout au milieu de la cuisine, tandis que deux grands gaillards, armés de haches, gardaient la porte. Je distinguai dans les coins sombres deux femmes à genoux, le visage caché contre le mur.

On s'expliqua. Le vieux remit son arme contre le mur et ordonna de préparer ma chambre ; puis, comme les femmes ne bougeaient point, il me dit brusquement :

– Voyez-vous, monsieur, j'ai tué un homme, voilà deux ans cette nuit. L'autre année, il est revenu m'appeler. Je l'attends encore ce soir.

Puis il ajouta d'un ton qui me fit sourire :

– Aussi, nous ne sommes pas tranquilles.

Je le rassurai comme je pus, heureux d'être venu justement ce soir-là, et d'assister au spectacle de cette terreur superstitieuse. Je racontai des histoires, et je parvins à calmer à peu près tout le monde.

Près du foyer, un vieux chien, presque aveugle et moustachu, un de ces chiens qui ressemblent à des gens qu'on connaît, dormait le nez dans ses pattes.

Au-dehors, la tempête acharnée battait la petite maison, et, par un étroit carreau, une sorte de judas placé près de la porte, je voyais soudain tout un fouillis d'arbres bousculés par le vent à la lueur de grands éclairs.

Malgré mes efforts, je sentais bien qu'une terreur profonde tenait ces gens et, chaque fois que je cessais de parler, toutes les oreilles écoutaient au loin. Las d'assister à ces craintes imbéciles, j'allais demander à me coucher, quand le vieux garde tout à coup fit un bond de sa chaise, saisit de nouveau son fusil, en bégayant d'une voix égarée : « Le voilà ! le voilà ! Je l'entends ! » Les deux femmes retombèrent à genoux dans leurs coins en se cachant le visage ; et les fils reprirent leurs haches. J'allais tenter encore de les apaiser, quand le chien endormi s'éveilla brusquement et, levant sa tête, tendant le cou, regardant vers le feu de son œil presque éteint, il poussa un de ces lugubres hurlements qui font tressaillir les voyageurs, le soir, dans la campagne. Tous les yeux se portèrent sur lui, il restait maintenant immobile, dressé sur ses pattes comme hanté d'une vision, et il se remit à hurler vers quelque chose d'invisible, d'inconnu, d'affreux sans doute, car tout son poil se hérissait. Le garde, livide, cria : « Il le sent ! il le sent ! il était là quand je l'ai tué. » Et les femmes égarées se mirent, toutes les deux, à hurler avec le chien.

Malgré moi, un grand frisson me courut entre les épaules. Cette vision de l'animal dans ce lieu, à cette heure, au milieu de ces gens éperdus, était effrayante à voir.

Alors, pendant une heure, le chien hurla sans bouger ; il hurla comme dans l'angoisse d'un rêve ; et la peur, l'épouvantable peur entrait en moi ; la peur de quoi ? Le sais-je ? C'était la peur, voilà tout.

Nous restions immobiles, livides, dans l'attente d'un événement affreux, l'oreille tendue, le cœur battant, bouleversés au moindre bruit. Et le chien se mit à tourner autour de la pièce, en sentant les murs et gémissant toujours. Cette bête nous rendait fous ! Alors, le paysan qui m'avait amené, se jeta sur elle, dans une sorte de paroxysme de terreur furieuse, et, ouvrant une porte donnant sur une petite cour, jeta l'animal dehors.

Il se tut aussitôt ; et nous restâmes plongés dans un silence plus terrifiant encore. Et soudain, tous ensemble, nous eûmes une sorte de sursaut : un être glissait contre le mur du dehors vers la forêt ; puis il passa contre la porte, qu'il sembla tâter, d'une main hésitante ; puis on n'entendit plus rien pendant deux minutes qui firent de nous des insensés ; puis il revint, frôlant toujours la muraille ; et il gratta légèrement, comme ferait un enfant avec son ongle ; puis soudain une tête apparut contre la vitre du judas, une tête blanche avec des yeux lumineux comme ceux des fauves. Et un son sortit de sa bouche, un son indistinct, un murmure plaintif.

Alors un bruit formidable éclata dans la cuisine. Le vieux garde avait tiré. Et aussitôt les fils se précipitèrent, bouchèrent le judas en dressant la grande table qu'ils assujettirent avec le buffet.

Et je vous jure qu'au fracas du coup de fusil que je n'attendais point, j'eus une telle angoisse du cœur, de l'âme et du corps, que je me sentis défaillir, prêt à mourir de peur.

Nous restâmes là jusqu'à l'aurore, incapables de bouger, de dire un mot, crispés dans un affolement indicible.

On n'osa débarricader la sortie qu'en apercevant, par la fente d'un auvent, un mince rayon de jour.

Au pied du mur, contre la porte, le vieux chien gisait, la gueule brisée d'une balle.

Il était sorti de la cour en creusant un trou sous une palissade.

★

L'homme au visage brun se tut ; puis il ajouta :
– Cette nuit-là pourtant, je ne courus aucun danger ; mais j'aimerais mieux recommencer toutes les heures où j'ai affronté les plus terribles périls, que la seule minute du coup de fusil sur la tête barbue du judas.

Le loup

Voici ce que nous raconta le vieux marquis d'Arville à la fin du dîner de Saint-Hubert, chez le baron des Ravels.

On avait forcé un cerf dans le jour. Le marquis était le seul des convives qui n'eût point pris part à cette poursuite, car il ne chassait jamais.

Pendant toute la durée du grand repas, on n'avait guère parlé que de massacres d'animaux. Les femmes elles-mêmes s'intéressaient aux récits sanguinaires et souvent invraisemblables, et les orateurs mimaient les attaques et les combats d'hommes contre les bêtes, levaient les bras, contaient d'une voix tonnante.

M. d'Arville parlait bien, avec une certaine poésie un peu ronflante, mais pleine d'effet. Il avait dû répéter souvent cette histoire, car il la disait couramment, n'hésitant pas sur les mots choisis avec habileté pour faire image.

★

Messieurs, je n'ai jamais chassé, mon père non plus, mon grand-père non plus, et, non plus, mon arrière-grand-père. Ce dernier était fils d'un homme qui chassa plus que vous tous. Il mourut en 1764. Je vous dirai comment.

Il se nommait Jean, était marié, père de cet enfant qui fut mon trisaïeul, et il habitait avec son frère cadet, François d'Arville, notre château de Lorraine, en pleine forêt.

François d'Arville était resté garçon par amour de la chasse.

Ils chassaient tous deux d'un bout à l'autre de l'année, sans repos, sans arrêt, sans lassitude. Ils n'aimaient que cela, ne comprenaient pas autre chose, ne parlaient que de cela, ne vivaient que pour cela.

Ils avaient au cœur cette passion terrible, inexorable. Elle les brûlait, les ayant envahis tout entiers, ne laissant de place pour rien autre.

Ils avaient défendu qu'on les dérangeât jamais en chasse, pour aucune raison. Mon trisaïeul naquit pendant que son père suivait un renard, et Jean d'Arville n'interrompit point sa course, mais il jura : « Nom d'un nom, ce gredin-là aurait bien pu attendre après l'hallali ! »

Son frère François se montrait encore plus emporté que lui. Dès le lever, il allait voir les chiens, puis les chevaux, puis il tirait des oiseaux autour du château jusqu'au moment de partir pour forcer quelque grosse bête.

On les appelait dans le pays M. le marquis et
M. le cadet, les nobles d'alors ne faisant point,
comme la noblesse d'occasion de notre temps,
qui veut établir dans les titres une hiérarchie des-
cendante ; car le fils d'un marquis n'est pas plus
comte, ni le fils d'un vicomte baron, que le fils
d'un général n'est colonel de naissance. Mais la
vanité mesquine du jour trouve profit à cet
arrangement.

Je reviens à mes ancêtres.

Ils étaient, paraît-il, démesurément grands,
osseux, poilus, violents et vigoureux. Le jeune,
plus haut encore que l'aîné, avait une voix tellement forte que, suivant une légende dont il était
fier, toutes les feuilles de la forêt s'agitaient
quand il criait.

Et lorsqu'ils se mettaient en selle tous deux
pour partir en chasse, ce devait être un spectacle
superbe de voir ces deux géants enfourcher leurs
grands chevaux.

Or, vers le milieu de l'hiver de cette année
1764, les froids furent excessifs et les loups
devinrent féroces.

Ils attaquaient même les paysans attardés,
rôdaient la nuit autour des maisons, hurlaient du
coucher du soleil à son lever et dépeuplaient les
étables.

Et bientôt une rumeur circula. On parlait d'un
loup colossal, au pelage gris, presque blanc, qui
avait mangé deux enfants, dévoré le bras d'une
femme, étranglé tous les chiens de garde du pays

et qui pénétrait sans peur dans les enclos pour venir flairer sous les portes. Tous les habitants affirmaient avoir senti son souffle qui faisait vaciller la flamme des lumières. Et bientôt une panique courut par toute la province. Personne n'osait plus sortir dès que tombait le soir. Les ténèbres semblaient hantées par l'image de cette bête...

Les frères d'Arville résolurent de la trouver et de la tuer, et ils convièrent à de grandes chasses tous les gentilshommes du pays.

Ce fut en vain. On avait beau battre les forêts, fouiller les buissons, on ne la rencontrait jamais. On tuait des loups, mais pas celui-là. Et, chaque nuit qui suivait la battue, l'animal, comme pour se venger, attaquait quelque voyageur ou dévorait quelque bétail, toujours loin du lieu où on l'avait cherché.

Une nuit enfin, il pénétra dans l'étable aux porcs du château d'Arville et mangea les deux plus beaux élèves.

Les deux frères furent enflammés de colère, considérant cette attaque comme une bravade du monstre, une injure directe, un défi. Ils prirent tous leurs forts limiers habitués à poursuivre les bêtes redoutables, et ils se mirent en chasse, le cœur soulevé de fureur.

Depuis l'aurore jusqu'à l'heure où le soleil empourpré descendit derrière les grands arbres nus, ils battirent les fourrés sans rien trouver.

Tous deux enfin, furieux et désolés, revenaient

au pas de leurs chevaux par une allée bordée de broussailles, et s'étonnaient de leur science déjouée par ce loup, saisis soudain d'une sorte de crainte mystérieuse.

L'aîné disait :

– Cette bête-là n'est point ordinaire. On dirait qu'elle pense comme un homme.

Le cadet répondit :

– On devrait peut-être faire bénir une dalle par notre cousin l'évêque, ou prier quelque prêtre de prononcer les paroles qu'il faut.

Puis ils se turent.

Jean reprit :

– Regarde le soleil s'il est rouge. Le grand loup va faire quelque malheur cette nuit.

Il n'avait point fini de parler que son cheval se cabra ; celui de François se mit à ruer. Un large buisson couvert de feuilles mortes s'ouvrit devant eux, et une bête colossale, toute grise, surgit, qui détala à travers le bois.

Tous deux poussèrent une sorte de grognement de joie, et, se courbant sur l'encolure de leurs pesants chevaux, ils les jetèrent en avant d'une poussée de tout leur corps, les lançant d'une telle allure, les excitant, les entraînant, les affolant de la voix, du geste et de l'éperon, que les forts cavaliers semblaient porter les lourdes bêtes entre leurs cuisses et les enlever comme s'ils s'envolaient.

Ils allaient ainsi, ventre à terre, crevant les fourrés, coupant les ravins, grimpant les côtes, dévalant les gorges, et sonnant du cor à pleins poumons pour attirer leurs gens et leurs chiens.

Et voilà que soudain, dans cette course éperdue, mon aïeul heurta du front une branche énorme qui lui fendit le crâne ; et il tomba raide mort sur le sol, tandis que son cheval affolé s'emportait, disparaissait dans l'ombre enveloppant les bois.

Le cadet d'Arville s'arrêta net, sauta par terre, saisit dans ses bras son frère, et il vit que la cervelle coulait de la plaie avec le sang.

Alors il s'assit auprès du corps, posa sur ses genoux la tête défigurée et rouge, et il attendit en contemplant cette face immobile de l'aîné. Peu à peu une peur l'envahissait, une peur singulière qu'il n'avait jamais sentie encore, la peur de l'ombre, la peur de la solitude, la peur du bois désert et la peur aussi du loup fantastique qui venait de tuer son frère pour se venger d'eux.

Les ténèbres s'épaississaient, le froid aigu faisait craquer les arbres. François se leva, frissonnant, incapable de rester là plus longtemps, se sentant presque défaillir. On n'entendait plus rien, ni la voix des chiens ni le son des cors, tout était muet par l'invisible horizon ; et ce silence morne du soir glacé avait quelque chose d'effrayant et d'étrange.

Il saisit dans ses mains de colosse le grand corps de Jean, le dressa et le coucha sur la selle pour le reporter au château ; puis il se remit en marche doucement, l'esprit troublé comme s'il était gris, poursuivi par des images horribles et surprenantes.

Et, brusquement, dans le sentier qu'envahissait la nuit, une grande forme passa. C'était la bête. Une secousse d'épouvante agita le chasseur ; quelque chose de froid, comme une goutte d'eau, lui glissa le long des reins, et il fit, ainsi qu'un moine hanté du diable, un grand signe de croix, éperdu à ce retour brusque de l'effrayant rôdeur. Mais ses yeux retombèrent sur le corps inerte couché devant lui, et soudain, passant brusquement de la crainte à la colère, il frémit d'une rage désordonnée.

Alors il piqua son cheval et s'élança derrière le loup.

Il le suivait par les taillis, les ravines et les futaies, traversant des bois qu'il ne reconnaissait plus, l'œil fixé sur la tache blanche qui fuyait dans la nuit descendue sur la terre.

Son cheval aussi semblait animé d'une force et d'une ardeur inconnues. Il galopait le cou tendu, droit devant lui, heurtant aux arbres, aux rochers, la tête et les pieds du mort jeté en travers sur la selle. Les ronces arrachaient les cheveux ; le front, battant les troncs énormes, les éclaboussait de sang ; les éperons déchiraient des lambeaux d'écorce.

Et soudain, l'animal et le cavalier sortirent de la forêt et se ruèrent dans un vallon, comme la lune apparaissait au-dessus des monts. Ce vallon était pierreux, fermé par des rochers énormes, sans issue possible ; et le loup acculé se retourna.

François alors poussa un hurlement de joie que les échos répétèrent comme un roulement de tonnerre, et il sauta de cheval, son coutelas à la main.

La bête hérissée, le dos rond, l'attendait ; ses yeux luisaient comme deux étoiles. Mais, avant de livrer bataille, le fort chasseur, empoignant son frère, l'assit sur une roche, et, soutenant avec des pierres sa tête qui n'était plus qu'une tache de sang, il lui cria dans les oreilles, comme s'il eût parlé à un sourd :

– Regarde, Jean, regarde ça !

Puis il se jeta sur le monstre. Il se sentait fort à culbuter une montagne, à broyer des pierres dans ses mains. La bête le voulut mordre, cherchant à lui fouiller le ventre ; mais il l'avait saisie par le cou, sans même se servir de son arme, et il l'étranglait doucement, écoutant s'arrêter les souffles de sa gorge et les battements de son cœur. Et il riait, jouissant éperdument, serrant de plus en plus sa formidable étreinte, criant, dans un délire de joie :

– Regarde, Jean, regarde !

Toute résistance cessa ; le corps du loup devint flasque. Il était mort.

Alors François, le prenant à pleins bras, l'emporta et le vint jeter aux pieds de l'aîné en répétant d'une voix attendrie :

– Tiens, tiens, tiens, mon petit Jean, le voilà !

Puis il replaça sur sa selle les deux cadavres l'un sur l'autre : et il se remit en route.

Il rentra au château, riant et pleurant, comme Gargantua à la naissance de Pantagruel, poussant des cris de triomphe et trépignant d'allégresse en racontant la mort de l'animal, et gémissant et s'arrachant la barbe en disant celle de son frère.

Et souvent, plus tard, quand il reparlait de ce jour, il prononçait, les larmes aux yeux :

– Si seulement ce pauvre Jean avait pu me voir étrangler l'autre, il serait mort content, j'en suis sûr !

La veuve de mon aïeul inspira à son fils orphelin l'horreur de la chasse, qui s'est transmise de père en fils jusqu'à moi.

★

Le marquis d'Arville se tut. Quelqu'un demanda :

– Cette histoire est une légende, n'est-ce pas ?

Et le conteur répondit :

– Je vous jure qu'elle est vraie d'un bout à l'autre.

Alors une femme déclara d'une petite voix douce :

– C'est égal, c'est beau d'avoir des passions pareilles.

Le bonheur

C'était l'heure du thé, avant l'entrée des lampes. La villa dominait la mer ; le soleil disparu avait laissé le ciel tout rose de son passage, frotté de poudre d'or ; et la Méditerranée, sans une ride, sans un frisson, lisse, luisante encore sous le jour mourant, semblait une plaque de métal polie et démesurée.

Au loin, sur la droite, les montagnes dentelées dessinaient leur profil noir sur la pourpre pâlie du couchant.

On parlait de l'amour, on discutait ce vieux sujet, on redisait des choses qu'on avait dites, déjà, bien souvent. La mélancolie douce du crépuscule alentissait les paroles, faisait flotter un attendrissement dans les âmes, et ce mot : « amour », qui revenait sans cesse, tantôt prononcé par une forte voix d'homme, tantôt dit par une voix de femme au timbre léger, paraissait emplir le petit salon, y voltiger comme un oiseau, y planer comme un esprit.

Peut-on aimer plusieurs années de suite ?

– Oui, prétendaient les uns.

– Non, affirmaient les autres.

On distinguait les cas, on établissait des démarcations, on citait des exemples ; et tous, hommes et femmes, pleins de souvenirs surgissants et troublants, qu'ils ne pouvaient citer et qui leur montaient aux lèvres, semblaient émus, parlaient de cette chose banale et souveraine, l'accord tendre et mystérieux de deux êtres, avec une émotion profonde et un intérêt ardent.

Mais tout à coup quelqu'un, ayant les yeux fixés au loin, s'écria :

– Oh ! voyez, là-bas, qu'est-ce que c'est ?

Sur la mer, au fond de l'horizon, surgissait une masse grise, énorme et confuse.

Les femmes s'étaient levées et regardaient sans comprendre cette chose surprenante qu'elles n'avaient jamais vue.

Quelqu'un dit :

– C'est la Corse ! On l'aperçoit ainsi deux ou trois fois par an dans certaines conditions d'atmosphère exceptionnelles, quand l'air d'une limpidité parfaite ne la cache plus par ces brumes de vapeur d'eau qui voilent toujours les lointains.

On distinguait vaguement les crêtes, on crut reconnaître la neige des sommets. Et tout le monde restait surpris, troublé, presque effrayé par cette brusque apparition d'un monde, par ce fantôme sorti de la mer. Peut-être eurent-ils de ces visions étranges, ceux qui partirent, comme Colomb, à travers les océans inexplorés.

Alors un vieux monsieur, qui n'avait pas encore parlé, prononça :

– Tenez, j'ai connu dans cette île, qui se dresse devant nous, comme pour répondre elle-même à ce que nous disions et me rappeler un singulier souvenir, j'ai connu un exemple admirable d'un amour constant, d'un amour invraisemblablement heureux.

Le voici.

★

Je fis, voilà cinq ans, un voyage en Corse. Cette île sauvage est plus inconnue et plus loin de nous que l'Amérique, bien qu'on la voie quelquefois des côtes de France, comme aujourd'hui.

Figurez-vous un monde encore en chaos, une tempête de montagnes que séparent des ravins étroits où roulent des torrents ; pas une plaine, mais d'immenses vagues de granit et de géantes ondulations de terre couvertes de maquis ou de hautes forêts de châtaigniers et de pins. C'est un sol vierge, inculte, désert, bien que parfois on aperçoive un village, pareil à un tas de rochers au sommet d'un mont. Point de culture, aucune industrie, aucun art. On ne rencontre jamais un morceau de bois travaillé, un bout de pierre sculptée, jamais le souvenir du goût enfantin ou raffiné des ancêtres pour les choses gracieuses et belles. C'est là même ce qui frappe le plus en ce superbe et dur pays : l'indifférence héréditaire pour cette recherche des formes séduisantes qu'on appelle l'art.

L'Italie, où chaque palais, plein de chefs-d'œuvre, est un chef-d'œuvre lui-même, où le marbre, le bois, le bronze, le fer, les métaux et les pierres attestent le génie de l'homme, où les plus petits objets anciens qui traînent dans les vieilles maisons révèlent ce divin souci de la grâce, est pour nous tous la patrie sacrée que l'on aime parce qu'elle nous montre et nous prouve l'effort, la grandeur, la puissance et le triomphe de l'intelligence créatrice.

Et, en face d'elle, la Corse sauvage est restée telle qu'en ses premiers jours. L'être y vit dans sa maison grossière, indifférent à tout ce qui ne touche point son existence même ou ses querelles de famille. Et il est resté avec les défauts et les qualités des races incultes, violent, haineux, sanguinaire avec inconscience, mais aussi hospitalier, généreux, dévoué, naïf, ouvrant sa porte aux passants et donnant son amitié fidèle pour la moindre marque de sympathie.

Donc, depuis un mois, j'errais à travers cette île magnifique, avec la sensation que j'étais au bout du monde. Point d'auberges, point de cabarets, point de routes. On gagne, par des sentiers à mulets, ces hameaux accrochés au flanc des montagnes, qui dominent des abîmes tortueux d'où l'on entend monter, le soir, le bruit continu, la voix sourde et profonde du torrent. On frappe aux portes des maisons. On demande un abri

pour la nuit et de quoi vivre jusqu'au lendemain. Et on s'assoit à l'humble table, et on dort sous l'humble toit ; et on serre, au matin, la main tendue de l'hôte qui nous a conduit jusqu'aux limites du village.

Or, un soir, après dix heures de marche, j'atteignis une petite demeure toute seule au fond d'un étroit vallon qui allait se jeter à la mer une lieue plus loin. Les deux pentes rapides de la montagne, couvertes de maquis, de rocs éboulés et de grands arbres, enfermaient comme deux sombres murailles ce ravin lamentablement triste.

Autour de la chaumière, quelques vignes, un petit jardin, et plus loin, quelques grands châtaigniers, de quoi vivre enfin, une fortune pour ce pays pauvre.

La femme qui me reçut était vieille, sévère et propre, par exception. L'homme, assis sur une chaise de paille, se leva pour me saluer, puis se rassit sans dire un mot. Sa compagne me dit :

– Excusez-le ; il est sourd maintenant. Il a quatre-vingt-deux ans.

Elle parlait le français de France. Je fus surpris.

Je lui demandai :

– Vous n'êtes pas de Corse ?

Elle répondit :

– Non ; nous sommes des continentaux. Mais voilà cinquante ans que nous habitons ici.

Une sensation d'angoisse et de peur me saisit à la pensée de ces cinquante années écoulées dans ce trou sombre, si loin des villes où vivent les hommes. Un vieux berger rentra, et l'on se mit à manger le seul plat du dîner, une soupe épaisse où avaient cuit ensemble des pommes de terre, du lard et des choux.

Lorsque le court repas fut fini, j'allai m'asseoir devant la porte, le cœur serré par la mélancolie du morne paysage, étreint par cette détresse qui prend parfois les voyageurs en certains soirs tristes, en certains lieux désolés. Il semble que tout soit près de finir, l'existence et l'univers. On perçoit brusquement l'affreuse misère de la vie, l'isolement de tous, le néant de tout, et la noire solitude du cœur qui se berce et se trompe lui-même par des rêves jusqu'à la mort.

La vieille femme me rejoignit et, torturée par cette curiosité qui vit toujours au fond des âmes les plus résignées :

– Alors vous venez de France ? dit-elle.

– Oui, je voyage pour mon plaisir.

– Vous êtes de Paris, peut-être ?

– Non, je suis de Nancy.

Il me sembla qu'une émotion extraordinaire l'agitait. Comment ai-je vu ou plutôt senti cela, je n'en sais rien.

Elle répéta d'une voix lente :

– Vous êtes de Nancy ?

L'homme parut dans la porte, impassible comme sont les sourds.

Elle reprit :

– Ça ne fait rien. Il n'entend pas.

166

Puis, au bout de quelques secondes :

– Alors, vous connaissez du monde à Nancy ?

– Mais oui, presque tout le monde.

– La famille de Saint-Allaize ?

– Oui, très bien ; c'étaient des amis de mon père.

– Comment vous appelez-vous ?

Je dis mon nom. Elle me regarda fixement, puis prononça, de cette voix basse qu'éveillent les souvenirs :

– Oui, oui, je me rappelle bien. Et les Brisemare, qu'est-ce qu'ils sont devenus ?

– Tous sont morts.

– Ah ! Et les Sirmont, vous les connaissez ?

– Oui, le dernier est général.

Alors elle dit, frémissante d'émotion, d'angoisse, de je ne sais quel sentiment confus, puissant et sacré, de je ne sais quel besoin d'avouer, de dire tout, de parler de ces choses qu'elle avait tenues jusque-là enfermées au fond de son cœur, et de ces gens dont le nom bouleversait son âme :

– Oui, Henri de Sirmont. Je le sais bien. C'est mon frère.

Et je levai les yeux vers elle, effaré de surprise. Et tout d'un coup le souvenir me revint.

Cela avait fait, jadis, un gros scandale dans la noble Lorraine. Une jeune fille, belle et riche, Suzanne de Sirmont, avait été enlevée par un sous-officier de hussards du régiment que commandait son père.

C'était un beau garçon, fils de paysans, mais

portant bien le dolman bleu, ce soldat qui avait séduit la fille de son colonel. Elle l'avait vu, remarqué, aimé en regardant défiler les escadrons, sans doute. Mais comment lui avait-elle parlé, comment avaient-ils pu se voir, s'entendre ? Comment avait-elle osé lui faire comprendre qu'elle l'aimait ? Cela, on ne le sut jamais.

On n'avait rien deviné, rien pressenti. Un soir, comme le soldat venait de finir son temps, il disparut avec elle. On les chercha, on ne les retrouva pas. On n'en eut jamais de nouvelles et on la considérait comme morte.

Et je la retrouvais ainsi dans ce sinistre vallon.

Alors je repris à mon tour :

– Oui, je me rappelle bien. Vous êtes mademoiselle Suzanne.

Elle fit « oui », de la tête. Des larmes tombaient de ses yeux. Alors, me montrant d'un regard le vieillard immobile sur le seuil de sa masure, elle me dit :

– C'est lui.

Et je compris qu'elle l'aimait toujours, qu'elle le voyait encore avec ses yeux séduits.

Je demandai :

– Avez-vous été heureuse au moins ?

Elle répondit avec une voix qui venait du cœur :

– Oh ! oui, très heureuse. Il m'a rendue très heureuse. Je n'ai jamais rien regretté.

Je la contemplais, triste, surpris, émerveillé par

la puissance de l'amour ! Cette fille riche avait suivi cet homme, ce paysan. Elle était devenue elle-même une paysanne. Elle s'était faite à sa vie sans charmes, sans luxe, sans délicatesse d'aucune sorte, elle s'était pliée à ses habitudes simples. Et elle l'aimait encore. Elle était devenue une femme de rustre, en bonnet, en jupe de toile. Elle mangeait dans un plat de terre sur une table de bois, assise sur une chaise de paille, une bouillie de choux et de pommes de terre au lard. Elle couchait sur une paillasse à son côté.

Elle n'avait jamais pensé à rien, qu'à lui ! Elle n'avait regretté ni les parures, ni les étoffes, ni les élégances, ni la mollesse des sièges, ni la tiédeur parfumée des chambres enveloppées de tentures, ni la douceur des duvets où plongent les corps pour le repos. Elle n'avait eu jamais besoin que de lui ; pourvu qu'il fût là, elle ne désirait rien.

Elle avait abandonné la vie, toute jeune, et le monde, et ceux qui l'avaient élevée, aimée. Elle était venue, seule avec lui, en ce sauvage ravin. Et il avait été tout pour elle, tout ce qu'on désire, tout ce qu'on rêve, tout ce qu'on attend sans cesse, tout ce qu'on espère sans fin. Il avait empli de bonheur son existence, d'un bout à l'autre.

Elle n'aurait pas pu être plus heureuse.

Et toute la nuit, en écoutant le souffle rauque du vieux soldat étendu sur son grabat, à côté de celle qui l'avait suivi de loin, je pensais à cette étrange et simple aventure, à ce bonheur si complet, fait de si peu.

Et je partis au soleil levant, après avoir serré la main des deux vieux époux.

★

Le conteur se tut. Une femme dit :

– C'est égal, elle avait un idéal trop facile, des besoins trop primitifs et des exigences trop simples. Ce ne pouvait être qu'une sotte.

Une autre prononça d'une voix lente :

– Qu'importe ! elle fut heureuse.

Et là-bas, au fond de l'horizon, la Corse s'enfonçait dans la nuit, rentrait lentement dans la mer, effaçait sa grande ombre apparue comme pour raconter elle-même l'histoire des deux humbles amants qu'abritait son rivage.

La parure

C'était une de ces jolies et charmantes filles, nées, comme par une erreur du destin, dans une famille d'employés. Elle n'avait pas de dot, pas d'espérances, aucun moyen d'être connue, comprise, aimée, épousée par un homme riche et distingué ; et elle se laissa marier avec un petit commis du ministère de l'Instruction publique.

Elle fut simple ne pouvant être parée, mais malheureuse comme une déclassée ; car les femmes n'ont point de caste ni de race, leur beauté, leur grâce et leur charme leur servant de naissance et de famille. Leur finesse native, leur instinct d'élégance, leur souplesse d'esprit, sont leur seule hiérarchie, et font des filles du peuple les égales des plus grandes dames.

Elle souffrait sans cesse, se sentant née pour toutes les délicatesses et tous les luxes. Elle souffrait de la pauvreté de son logement, de la misère des murs, de l'usure des sièges, de la laideur des étoffes. Toutes ces choses, dont une autre femme de sa caste ne se serait même pas aperçue, la torturaient et l'indignaient. La vue de la petite Bretonne qui faisait son humble ménage éveillait en elle des regrets désolés et des rêves éperdus. Elle songeait aux antichambres muettes, capitonnées avec des tentures orientales, éclairées par de hautes torchères de bronze, et aux deux grands valets en culotte courte qui dorment dans les larges fauteuils, assoupis par la chaleur lourde du calorifère. Elle songeait aux grands salons vêtus de soie ancienne, aux meubles fins portant des bibelots inestimables, et aux petits salons coquets, parfumés, faits pour la causerie de cinq heures avec les amis les plus intimes, les hommes connus et recherchés dont toutes les femmes envient et désirent l'attention.

Quand elle s'asseyait, pour dîner, devant la table ronde couverte d'une nappe de trois jours, en face de son mari qui découvrait la soupière en déclarant d'un air enchanté : « Ah ! le bon pot-au-feu ! je ne sais rien de meilleur que cela... » elle songeait aux dîners fins, aux argenteries reluisantes, aux tapisseries peuplant les murailles de personnages anciens et d'oiseaux étranges au milieu d'une forêt de féerie ; elle songeait aux plats exquis servis en des vaisselles merveilleuses, aux galanteries chuchotées et écoutées avec un sourire de sphinx, tout en mangeant la chair rose d'une truite ou des ailes de gelinotte.

Elle n'avait pas de toilettes, pas de bijoux, rien. Et elle n'aimait que cela ; elle se sentait faite pour cela. Elle eût tant désiré plaire, être enviée, être séduisante et recherchée.

Elle avait une amie riche, une camarade de couvent qu'elle ne voulait plus aller voir, tant elle souffrait en revenant. Et elle pleurait pendant des jours entiers, de chagrin, de regret, de désespoir et de détresse.

Or, un soir, son mari rentra, l'air glorieux, et tenant à la main une large enveloppe.

– Tiens, dit-il, voici quelque chose pour toi.

Elle déchira vivement le papier et en tira une carte imprimée qui portait ces mots :

« Le ministre de l'Instruction publique et Mme Georges Ramponneau prient M. et Mme Loisel de leur faire l'honneur de venir passer la soirée à l'hôtel du ministère, le lundi 18 janvier. »

Au lieu d'être ravie, comme l'espérait son mari, elle jeta avec dépit l'invitation sur la table, murmurant :

– Que veux-tu que je fasse de cela ?

– Mais, ma chérie, je pensais que tu serais contente. Tu ne sors jamais, et c'est une occasion, cela, une belle ! J'ai eu une peine infinie à l'obtenir. Tout le monde en veut ; c'est très recherché et on n'en donne pas beaucoup aux employés. Tu verras là tout le monde officiel.

Elle le regardait d'un œil irrité, et elle déclara avec impatience :

– Que veux-tu que je me mette sur le dos pour aller là ?

Il n'y avait pas songé ; il balbutia :

– Mais la robe avec laquelle tu vas au théâtre. Elle me semble très bien, à moi...

Il se tut, stupéfait, éperdu, en voyant que sa femme pleurait. Deux grosses larmes descendaient lentement des coins des yeux vers les coins de la bouche ; il bégaya :

– Qu'as-tu ? qu'as-tu ?

Mais, par un effort violent, elle avait dompté sa peine et elle répondit d'une voix calme en essuyant ses joues humides :

– Rien. Seulement je n'ai pas de toilette et par conséquent je ne peux aller à cette fête. Donne ta carte à quelque collègue dont la femme sera mieux nippée que moi.

Il était désolé. Il reprit :

– Voyons, Mathilde. Combien cela coûterait-il, une toilette convenable, qui pourrait te servir encore en d'autres occasions, quelque chose de très simple ?

Elle réfléchit quelques secondes, établissant ses comptes et songeant aussi à la somme qu'elle pouvait demander sans s'attirer un refus immédiat et une exclamation effarée du commis économe.

Enfin, elle répondit en hésitant :

– Je ne sais pas au juste, mais il me semble qu'avec quatre cents francs je pourrais arriver.

Il avait un peu pâli, car il réservait juste cette somme pour acheter un fusil et s'offrir des parties de chasse, l'été suivant, dans la plaine de

Nanterre, avec quelques amis qui allaient tirer des alouettes, par-là, le dimanche.

Il dit cependant :

– Soit. Je te donne quatre cents francs. Mais tâche d'avoir une belle robe.

Le jour de la fête approchait, et Mme Loisel semblait triste, inquiète, anxieuse. Sa toilette était prête cependant. Son mari lui dit un soir :

– Qu'as-tu ? Voyons, tu es toute drôle depuis trois jours.

Et elle répondit :

– Cela m'ennuie de n'avoir pas un bijou, pas une pierre, rien à mettre sur moi. J'aurai l'air misère comme tout. J'aimerais presque mieux ne pas aller à cette soirée.

Il reprit :

– Tu mettras des fleurs naturelles. C'est très chic en cette saison-ci. Pour dix francs tu auras deux ou trois roses magnifiques.

Elle n'était point convaincue.

– Non... il n'y a rien de plus humiliant que d'avoir l'air pauvre au milieu de femmes riches.

Mais son mari s'écria :

– Que tu es bête ! Va trouver ton amie Mme Forestier et demande-lui de te prêter des bijoux. Tu es bien assez liée avec elle pour faire cela.

Elle poussa un cri de joie :

– C'est vrai. Je n'y avais point pensé.

Le lendemain, elle se rendit chez son amie et lui conta sa détresse.

Mme Forestier alla vers son armoire à glace, prit un large coffret, l'apporta, l'ouvrit, et dit à Mme Loisel :

– Choisis, ma chère.

Elle vit d'abord des bracelets, puis un collier de perles, puis une croix vénitienne, or et pierreries, d'un admirable travail. Elle essayait les parures devant la glace, hésitait, ne pouvait se décider à les quitter, à les rendre. Elle demandait toujours :

– Tu n'as plus rien d'autre ?

– Mais si. Cherche. Je ne sais pas ce qui peut te plaire.

Tout à coup elle découvrit, dans une boîte de satin noir, une superbe rivière de diamants ; et son cœur se mit à battre d'un désir immodéré. Ses mains tremblaient en la prenant. Elle l'attacha autour de sa gorge, sur sa robe montante, et demeura en extase devant elle-même.

Puis, elle demanda, hésitante, pleine d'angoisse :

– Peux-tu me prêter cela, rien que cela ?

– Mais oui, certainement.

Elle sauta au cou de son amie, l'embrassa avec emportement, puis s'enfuit avec son trésor.

Le jour de la fête arriva. Mme Loisel eut un succès. Elle était plus jolie que toutes, élégante, gracieuse, souriante et folle de joie. Tous les hommes la regardaient, demandaient son nom, cherchaient à être présentés. Tous les attachés du cabinet voulaient valser avec elle. Le ministre la remarqua.

Elle dansait avec ivresse, avec emportement, grisée par le plaisir, ne pensant plus à rien, dans le triomphe de sa beauté, dans la gloire de son succès, dans une sorte de nuage de bonheur fait de tous ces hommages, de toutes ces admirations, de tous ces désirs éveillés, de cette victoire si complète et si douce au cœur des femmes.

Elle partit vers quatre heures du matin. Son mari, depuis minuit, dormait dans un petit salon désert avec trois autres messieurs dont les femmes s'amusaient beaucoup.

Il lui jeta sur les épaules les vêtements qu'il avait apportés pour la sortie, modestes vêtements de la vie ordinaire, dont la pauvreté jurait avec l'élégance de la toilette de bal. Elle le sentit et voulut s'enfuir, pour ne pas être remarquée par les autres femmes qui s'enveloppaient de riches fourrures.

Loisel la retenait :

– Attends donc. Tu vas attraper froid dehors. Je vais appeler un fiacre.

Mais elle ne l'écoutait point et descendait rapidement l'escalier. Lorsqu'ils furent dans la rue, ils ne trouvèrent pas de voiture ; et ils se mirent à chercher, criant après les cochers qu'ils voyaient passer de loin.

Ils descendaient vers la Seine, désespérés, grelottants. Enfin ils trouvèrent sur le quai un de ces vieux coupés noctambules qu'on ne voit dans Paris que la nuit venue, comme s'ils eussent été honteux de leur misère pendant le jour.

Il les ramena jusqu'à leur porte, rue des Martyrs, et ils remontèrent tristement chez eux. C'était fini, pour elle. Et il songeait, lui, qu'il lui faudrait être au ministère à dix heures.

Elle ôta les vêtements dont elle s'était enveloppé les épaules, devant la glace, afin de se voir encore une fois dans sa gloire. Mais soudain elle poussa un cri. Elle n'avait plus sa rivière autour du cou !

Son mari, à moitié dévêtu déjà, demanda :

– Qu'est-ce que tu as ?

Elle se tourna vers lui, affolée :

– J'ai... j'ai... je n'ai plus la rivière de Mme Forestier.

Il se dressa, éperdu :

– Quoi !... comment !... Ce n'est pas possible !

Et ils cherchèrent dans les plis de la robe, dans les plis du manteau, dans les poches, partout. Il ne la trouvèrent point.

Il demandait :

– Tu es sûre que tu l'avais encore en quittant le bal ?

– Oui, je l'ai touchée dans le vestibule du ministère.

– Mais, si tu l'avais perdue dans la rue, nous l'aurions entendue tomber. Elle doit être dans le fiacre.

– Oui. C'est probable. As-tu pris le numéro ?

– Non. Et toi, tu ne l'as pas regardé ?

– Non.

Ils se contemplaient atterrés. Enfin Loisel se rhabilla.

– Je vais, dit-il, refaire tout le trajet que nous avons fait à pied, pour voir si je ne la retrouverai pas.

Et il sortit. Elle demeura en toilette de soirée, sans force pour se coucher, abattue sur une chaise, sans feu, sans pensée.

Son mari rentra vers sept heures. Il n'avait rien trouvé.

Il se rendit à la préfecture de Police, aux journaux, pour faire promettre une récompense, aux compagnies de petites voitures, partout enfin où un soupçon d'espoir le poussait.

Elle attendit tout le jour, dans le même état d'effarement devant cet affreux désastre.

Loisel revint le soir, avec la figure creusée, pâlie ; il n'avait rien découvert.

– Il faut, dit-il, écrire à ton amie que tu as brisé la fermeture de sa rivière et que tu la fais réparer. Cela nous donnera le temps de nous retourner.

Elle écrivit sous sa dictée.

Au bout d'une semaine, ils avaient perdu toute espérance.

Et Loisel, vieilli de cinq ans, déclara :

– Il faut aviser à remplacer ce bijou.

Ils prirent, le lendemain, la boîte qui l'avait renfermé, et se rendirent chez le joaillier, dont le nom se trouvait dedans. Il consulta ses livres :

– Ce n'est pas moi, madame, qui ai vendu cette rivière ; j'ai dû seulement fournir l'écrin.

Alors ils allèrent de bijoutier en bijoutier, cherchant une parure pareille à l'autre, consultant leurs souvenirs, malades tous deux de chagrin et d'angoisse.

Ils trouvèrent, dans une boutique du Palais Royal, un chapelet de diamants qui leur parut entièrement semblable à celui qu'ils cherchaient. Il valait quarante mille francs. On le leur laisserait à trente-six mille.

Ils prièrent donc le joaillier de ne pas le vendre avant trois jours. Et ils firent condition qu'on le reprendrait, pour trente-quatre mille francs, si le premier était retrouvé avant la fin de février.

Loisel possédait dix-huit mille francs que lui avait laissés son père. Il emprunterait le reste.

Il emprunta, demandant mille francs à l'un, cinq cents à l'autre, cinq louis par-ci, trois louis par-là. Il fit des billets, pris des engagements ruineux, eut affaire aux usuriers, à toutes les races de prêteurs. Il compromit toute la fin de son existence, risqua sa signature sans savoir même s'il pourrait y faire honneur, et, épouvanté par les angoisses de l'avenir, par la noire misère qui allait s'abattre sur lui, par la perspective de toutes les privations physiques et de toutes les tortures morales, il alla chercher la rivière nouvelle, en déposant sur le comptoir du marchand trente-six mille francs.

Quand Mme Loisel reporta la parure à Mme Forestier, celle-ci lui dit, d'un air froissé :

– Tu aurais dû me la rendre plus tôt, car, je pouvais en avoir besoin.

Elle n'ouvrit pas l'écrin, ce que redoutait son amie. Si elle s'était aperçue de la substitution, qu'aurait-elle pensé ? qu'aurait-elle dit ? Ne l'aurait-elle pas prise pour une voleuse ?

Mme Loisel connut la vie horrible des nécessiteux. Elle prit son parti, d'ailleurs, tout d'un coup, héroïquement. Il fallait payer cette dette effroyable. Elle payerait. On renvoya la bonne ; on changea de logement ; on loua sous les toits une mansarde.

Elle connut les gros travaux du ménage, les odieuses besognes de la cuisine. Elle lava la vaisselle, usant ses ongles roses sur les poteries grasses et le fond des casseroles. Elle savonna le linge sale, les chemises et les torchons, qu'elle faisait sécher sur une corde ; elle descendit à la rue, chaque matin, les ordures, et monta l'eau, s'arrêtant à chaque étage pour souffler. Et, vêtue comme une femme du peuple, elle alla chez le fruitier, chez l'épicier, chez le boucher, le panier au bras, marchandant, injuriée, défendant sou à sou son misérable argent.

Il fallait chaque mois payer des billets, en renouveler d'autres, obtenir du temps.

Le mari travaillait, le soir, à mettre au net les comptes d'un commerçant, et la nuit, souvent, il faisait de la copie à cinq sous la page.

Et cette vie dura dix ans.

Au bout de dix ans, ils avaient tout restitué, tout, avec le taux de l'usure, et l'accumulation des intérêts superposés.

Mme Loisel semblait vieille, maintenant. Elle était devenue la femme forte, et dure, et rude, des ménages pauvres. Mal peignée, avec les jupes de travers et les mains rouges, elle parlait haut, lavait à grande eau les planchers. Mais parfois, lorsque son mari était au bureau, elle s'asseyait auprès de la fenêtre, et elle songeait à cette soirée d'autrefois, à ce bal, où elle avait été si belle et si fêtée.

Que serait-il arrivé si elle n'avait point perdu cette parure ? Qui sait ? qui sait ? Comme la vie est singulière, changeante ! Comme il faut peu de chose pour vous perdre ou vous sauver !

Or, un dimanche, comme elle était allée faire un tour aux Champs-Élysées pour se délasser des besognes de la semaine, elle aperçut tout à coup une femme qui promenait un enfant. C'était Mme Forestier, toujours jeune, toujours belle, toujours séduisante.

Mme Loisel se sentit émue. Allait-elle lui parler ? Oui, certes. Et maintenant qu'elle avait payé, elle lui dirait tout. Pourquoi pas ?

Elle s'approcha.

– Bonjour, Jeanne.

L'autre ne la reconnaissait point, s'étonnant d'être appelée ainsi familièrement par cette bourgeoise. Elle balbutia :

– Mais... madame !... Je ne sais... Vous devez vous tromper.

– Non. Je suis Mathilde Loisel.

Son amie poussa un cri :

– Oh... ma pauvre Mathilde, comme tu es changée !...

– Oui, j'ai eu des jours bien durs, depuis que je ne t'ai vue ; et bien des misères... et cela à cause de toi !...

– De moi... Comment ça ?

– Tu te rappelles bien cette rivière de diamants que tu m'as prêtée pour aller à la fête du Ministère.

– Oui. Eh bien ?

– Eh bien, je l'ai perdue.

– Comment ! puisque tu me l'as rapportée.

– Je t'en ai rapporté une autre toute pareille. Et voilà dix ans que nous la payons. Tu comprends que ça n'était pas aisé pour nous, qui n'avions rien... Enfin c'est fini, et je suis rudement contente.

Mme Forestier s'était arrêtée.

– Tu dis que tu as acheté une rivière de diamants pour remplacer la mienne ?

– Oui. Tu ne t'en étais pas aperçue, hein ? Elles étaient bien pareilles.

Et elle souriait d'une joie orgueilleuse et naïve.

Mme Forestier, fort émue, lui prit les deux mains.

– Oh ! ma pauvre Mathilde ! Mais la mienne était fausse. Elle valait au plus cinq cents francs !...

Table

FOLIO JUNIOR ÉDITION SPÉCIALE

Guy de Maupassant

Deux amis
et autres contes

Supplément réalisé par
Jean-François Ménard

Illustrations de Philippe Mignon

SOMMAIRE

AVEZ-VOUS DU CŒUR ?

1. AU FIL DU TEXTE

AVEZ-VOUS DU CŒUR ?

La plupart des nouvelles réunies dans ce volume mettent en scène des personnages avares, insensibles, sordides, enclins aux pires turpitudes, aux plus écœurantes lâchetés. De tels personnages ne sont pas issus de la seule imagination de Guy de Maupassant, on en rencontre parfois dans la vie quotidienne ; fort heureusement, vous n'en faites pas partie – tout au moins faut-il l'espérer ! Jusqu'à quel point, cependant, savez-vous faire preuve de générosité ? Avez-vous, selon l'expression consacrée, « le cœur sur la main » ? Votre bonté, au contraire, a-t-elle des limites ? Auriez-vous même une certaine tendance à la pingrerie ? Répondez aux questions qui suivent, puis reportez-vous à la page des solutions : vous saurez alors si vous avez vraiment du cœur...

1. *Chez vous, quelle est la pièce que vous préférez ?*
A. Le salon
B. Votre chambre
C. La cuisine

2. *Parmi ces trois animaux, quel est celui qui vous semble le plus sympathique ?*
A. Le tigre
B. L'éléphant
C. Le dauphin

3. *Lequel de ces trois sports aimeriez-vous pratiquer ?*
A. Le golf
B. L'alpinisme
C. La voile

4. *Laquelle de ces trois phrases vous semble la plus vraie ?*
A. « Toutes les grandeurs de ce monde ne valent pas un bon ami. » (Voltaire, *Jeannot et Colin*)
B. « L'amitié ? Elle disparaît quand celui qui est aimé tombe dans le malheur, ou quand celui qui aime devient puissant. » (Chateaubriand, *La Vie de Rancé*)
C. « Il faut être juste avant d'être généreux, comme on a des chemises avant d'avoir des dentelles. » (Chamfort, *Maximes et pensées*)

5. *Si vous aviez la possibilité de visiter l'une de ces trois planètes, laquelle choisiriez-vous ?*
A. Vénus
B. Jupiter
C. Mercure

6. *Imaginez qu'une chaîne de télévision vous envoie faire un reportage en vous donnant le choix entre les trois sujets suivants ; lequel choisiriez-vous ?*
A. La vie quotidienne dans les bas-fonds de New York
B. La vie quotidienne dans les prisons
C. La vie quotidienne des chercheurs d'or d'Amazonie

7. *Si on vous proposait d'entrer au gouvernement, quelles fonctions souhaiteriez-vous exercer ?*
A. Ministre de la Culture
B. Ministre de l'Éducation
C. Ministre de l'Intérieur

8. *Parmi les trois objets suivants, quel est celui que vous aimeriez offrir à quelqu'un que vous aimez ?*
A. Un louis d'or
B. Une pierre précieuse
C. Une édition rare d'un livre de poésie

9. *De ces trois chiens, quel est celui que vous souhaiteriez avoir ?*
A. Un doberman
B. Un labrador
C. Un basset

10. *De quoi auriez-vous le plus de mal à vous passer dans la vie ?*
A. De voyages
B. De télévision
C. De famille

Solutions page 219

1
AU FIL DU TEXTE

DEUX AMIS - LE VOLEUR

Avez-vous bien lu ces deux contes ?

A mesure que vous lirez les contes de ce recueil, des questions vous seront posées afin de vérifier si votre lecture a été attentive. Répondez à chaque série de questions, puis reportez-vous à la page des solutions et comptez un point par réponse exacte. Lorsque vous aurez répondu à *toutes* les questions, faites le total de vos points et lisez le paragraphe correspondant à votre résultat. Vous saurez alors si vous avez été un bon lecteur de Maupassant !

1. *Comment l'auteur définit-il M. Morissot, l'un des « deux amis » ?*
A. « Horloger de son état et pantouflard par occasion »
B. « Bijoutier de son état et pêcheur à la ligne par occasion »
C. « Joaillier de son état et promeneur par occasion »

2. *Tandis que les deux amis pêchent côte à côte, le canon tonne dans Paris. Où exactement ?*
A. Sur la butte Montmartre
B. Sur la colline de Chaillot
C. Sur le mont Valérien

3. *Des trois phrases ci-dessous quelle est celle que M. Morissot prononce au cours de la conversation ?*
A. Avec les rois on a la guerre aux frontières ; avec la République on a la guerre à Paris
B. Avec les rois on a la guerre au-dehors ; avec la République on a la guerre au-dedans
C. Avec les rois on a la guerre en Europe ; avec la République on a la guerre en France

4. *Lorsque l'officier prussien demande aux deux amis le mot d'ordre nécessaire pour franchir les avant-postes, comment ceux-ci réagissent-ils ?*
A. Ils ne le donnent pas
B. Ils le donnent aussitôt
C. Seul M. Morissot accepte de le donner

5. Dans la nouvelle intitulée « Le Voleur », en quels termes l'auteur décrit-il le cambrioleur surpris par les trois amis ?
A. Une sorte de jeune bandit à cheveux blonds, mal vêtu et l'air accablé
B. Une sorte de bandit à cheveux bruns, blême et sans âge
C. Une sorte de vieux bandit à cheveux blancs, sordide et déguenillé

6. Qu'advient-il du voleur, à la fin de la nouvelle ?
A. Il est jeté en prison
B. Il est jeté dans la Seine
C. Les trois amis l'invitent à boire un punch

7. Qui raconte l'histoire ?
A. Un vieil artiste dont l'auteur ne précise pas le nom
B. Un peintre nommé Le Poittevin
C. Le voleur

Solutions page 221

La guerre de 1870

La nouvelle intitulée *Deux amis* se passe pendant le siège de Paris, qui fut l'un des événements les plus tragiques de la guerre de 1870 entre la France et la Prusse. Que savez-vous de cette guerre ?
Voici quelques affirmations qui s'y rapportent : à votre avis, sont-elles vraies ou fausses ?
Si vous hésitez, consultez un dictionnaire ou un livre d'histoire pour y trouver les renseignements qui vous manquent. Ce petit travail de recherche vous aidera à mieux apprécier celles des nouvelles de Maupassant qui se déroulent pendant cette période de l'histoire.

1. C'est la France qui a déclaré cette guerre à la Prusse.

2. A l'époque où la guerre éclate, Napoléon III est au pouvoir en France.

3. A l'issue de la guerre de 1870, la France récupéra l'Alsace et la Lorraine qui étaient jusqu'alors territoires allemands.

4. Assiégés par les Prussiens, les Parisiens s'engagèrent dans une résistance acharnée qui leur permit de remporter la victoire sur l'ennemi.

5. En tout, la guerre de 1870 dura quatre ans.

Solutions page 222

Amis croisés

Tous les mots de cette grille comportent les trois lettres
« a-m-i », toujours disposées dans cet ordre.
A vous de les découvrir grâce aux définitions qui figurent
ci-dessous.

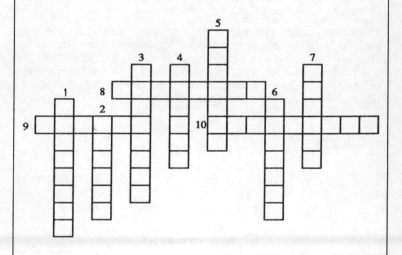

1. Utile en cas de folie furieuse
2. Raidit les cols
3. Faire des branches
4. Poids lourd
5. Aplatir
6. Son cercle a souvent tendance à s'agrandir
7. Pigeon
8. Un vrai fléau
9. Saucisson
10. Un petit café

Solutions page 223

Loisirs à tout prix

S'exposer aux dangers de la guerre pour aller à la pêche, voilà qui dénote une belle inconscience ou une passion irrépressible pour cette forme de loisir ! A votre avis, est-ce la passion ou l'inconscience qui pousse les deux amis à entreprendre cette folie ? Essayez de définir le caractère de ces deux personnages en fonction des indications données par l'auteur. Relevez ces indications et servez-vous-en pour tenter au-delà du texte, de mieux cerner la personnalité des deux hommes.

D'une manière générale, pensez-vous que le désir de satisfaire une passion justifie qu'on prenne de tels risques ? Seriez-vous prêt, quant à vous, à risquer votre vie pour vous adonner à un sport ou à un loisir qui vous est particulièrement cher ? Quels exemples pouvez-vous donner pour étayer vos arguments ?

Farce cruelle

Dans *Le Voleur,* le traitement infligé au cambrioleur surpris par les trois peintres pourrait apparaître comme une simple farce s'il ne s'y mêlait une réelle cruauté. En relisant attentivement le texte, notez les éléments qui relèvent de la farce et ceux qui dénotent la cruauté. A votre avis, est-ce l'une ou l'autre qui domine pendant la partie de l'histoire où le voleur est à la merci des trois amis ? Imaginez ensuite une scène semblable à l'époque actuelle : réinventez les personnages à partir de la nouvelle, en les modernisant, et écrivez un texte qui raconte la même histoire à votre façon, avec des détails de votre cru. Efforcez-vous, dans la mesure du possible, de faire preuve de fantaisie et de rédiger votre récit de manière amusante.

Le voleur caché

Un voleur célèbre – et qui a réellement existé – se cache dans cette grille de mots croisés. Pour le découvrir, remplissez-la : le nom du voleur apparaîtra alors en diagonale, de gauche à droite.

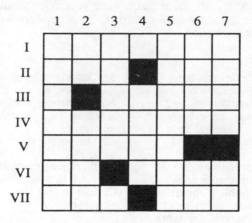

Horizontalement
I. Lorsqu'il est économique, les affaires ne sont pas bonnes – II. Il arrive qu'elle ne manque pas de sel. Mieux vaut ne pas en manquer – III. Remarquer ou écrire – IV. Gobe n'importe quoi – V. Ses spécialistes en connaissent un rayon – VI. Vieille cité de Mésopotamie. Il est conseillé de ne pas y réchauffer une vipère – VII. Les ennuis ont donc commencé pour eux... Ses taches peuvent donner du charme

Verticalement
1. Mélange de salades qu'on vend chez le marchand de légumes – 2. Fleuve du Nord. Pas très répandu – 3. Anciens caractères nordiques – 4. Poèmes lyriques – 5. Ils en ont eu trop ! – 6. Doux au palais. Déesse à cornes – 7. Vagabonde. Le nord, et plutôt deux fois qu'une !

LA MÈRE SAUVAGE - L'AVENTURE DE WALTER SCHNAFFS

Avez-vous bien lu ces deux contes ?

Pour le savoir, répondez aux questions suivantes. Comptez alors un point par bonne réponse, ajoutez votre résultat aux points déjà obtenus, puis reportez-vous à la page des solutions.

1. *Laquelle de ces trois phrases figure dans le texte de « La Mère Sauvage » ?*
A. Les classes supérieures n'ont guère l'amour de la patrie : cela n'appartient qu'aux paysans
B. Chez les paysans, les haines patriotiques sont tenaces ; l'oubli n'appartient qu'aux classes supérieures
C. Les paysans n'ont guère les haines patriotiques ; cela n'appartient qu'aux classes supérieures

2. *Que fait la Mère Sauvage lorsque Prussiens et paysans accourent, attirés par l'incendie qu'elle a allumé dans sa maison ?*
A. Elle est debout devant sa porte, le visage féroce, le fusil pointé devant elle
B. Elle est assise sur un tronc d'arbre, tranquille et satisfaite
C. Elle est secouée de tremblements et laisse tomber son fusil à ses pieds

3. *Comment les Prussiens apprennent-ils que c'est la Mère Sauvage elle-même qui a mis le feu à sa propre maison ?*
A. Un voisin vient la dénoncer
B. Ils la surprennent une torche à la main
C. Elle le leur dit elle-même, aussitôt

4. *Dans la nouvelle intitulée « L'Aventure de Walter Schnaffs », le soldat prussien est fait prisonnier :*
A. Malgré lui
B. A sa plus grande satisfaction
C. Après avoir résisté de toutes ses forces

5. *Combien de Prussiens y avait-il dans le château où Walter Schnaffs a été capturé ?*
A. Une dizaine
B. Une cinquantaine
C. Walter Schnaffs y était tout seul

Solutions page 221

Vengeance !

La Mère Sauvage a pour thème
la vengeance. L'acte de la vieille
femme est-il légitime ?
Peut-on le comprendre ? L'excuser ?
Essayez de rédiger, sous forme de
dialogue, une sorte de débat
au cours duquel s'affronteraient
deux opinions opposées,
l'un des interlocuteurs justifiant
l'acte de la vieille paysanne, l'autre
exprimant au contraire sa totale
désapprobation. Développez les
arguments de chacun.
Vous exposerez ensuite votre propre
point de vue sur la vengeance en
général en donnant des exemples pris
dans la littérature, l'histoire,
ou que vous imaginerez vous-même.

Grotesques héros

Dans *L'Aventure de Walter Schnaffs,* le pitoyable Prussien, lâche et glouton, déclenche la panique et l'interven-
tion de l'armée par sa simple apparition. La peur injusti-
fiée entraîne ainsi une situation grotesque au cours de
laquelle les soldats français se ridiculisent tout en étant
convaincus d'agir en héros. En prenant pour modèle la
fin de cette nouvelle, essayez de raconter, dans un texte
d'une ou deux pages, une panique provoquée par l'apparition d'un être ou d'une chose inoffensifs mais effrayants
en apparence. Vous pouvez même vous inspirer de
l'actualité : un jour, par exemple, un accessoire de fête
foraine en forme de sphère était tombé d'un camion sur
une route de campagne ; or, on redoutait à cette époque
la chute d'un satellite soviétique radioactif qui menaçait
de s'écraser sur la terre. Lorsqu'on découvrit la sphère
métallique, tout le monde fut persuadé qu'il s'agissait du
fameux satellite russe et, pendant quelques heures, un
véritable branle-bas de combat mit sur le pied de guerre
toutes les autorités de la région, gendarmerie en tête !

LA REMPAILLEUSE - CLOCHETTE
Avez-vous bien lu ces deux contes ?

Répondez aux questions ci-dessous, comptez un point par bonne réponse et ajoutez le résultat à votre total actuel.

1. *Quelle est la profession de M. Chouquet ?*
A. Médecin
B. Chirurgien
C. Pharmacien

2. *Lorsque la rempailleuse revoit le jeune Chouquet après deux ans d'absence, comment réagit ce dernier ?*
A. Il se précipite sur la jeune fille pour l'embrasser
B. Il fait semblant de ne pas la voir
C. Il lui demande l'argent qu'elle a pris l'habitude de lui donner chaque fois qu'elle le rencontre

3. *Lorsque, après la mort de la rempailleuse, le médecin vient annoncer à Chouquet que cette femme l'avait aimé toute sa vie, comment réagit le pharmacien ?*
A. Il est ému et a du mal à retenir ses larmes
B. Il accueille la nouvelle dans la plus totale indifférence
C. Il se met en colère

4. *Pourquoi l'héroïne de « Clochette » porte-t-elle ce surnom ?*
A. A cause de la forme de son chapeau
B. Parce que ses maîtres la font venir en sonnant une clochette
C. Parce qu'elle boite

5. *Pourquoi Clochette saute-t-elle par la fenêtre du grenier de l'école ?*
A. A cause d'un incendie
B. Pour échapper à la colère de son maître qui la poursuit
C. Pour sauver la réputation de l'aide-instituteur

6. *Qui raconte cette histoire ?*
A. Un médecin
B. Un prêtre
C. Un ancien directeur d'école

Solutions page 221

Le grand amour

Au début de *La Rempailleuse,* les femmes qui assistent au dîner affirment que le grand amour ne peut exister qu'une seule fois dans la vie de quelqu'un. Le marquis de Bertrans, au contraire, soutient qu'on peut « aimer plusieurs fois avec toutes ses forces et toute son âme ». Et vous, qu'en pensez-vous ? Croyez-vous que l'amour véritable est forcément unique ou qu'on peut aimer plusieurs personnes avec la même intensité au cours de son existence ? Quel que soit votre point de vue, essayez de l'illustrer par des exemples pris dans la littérature ou le cinéma, ou même dans la vie de personnages célèbres. Quelle est, selon vous, la plus belle histoire d'amour qui ait jamais été racontée ? Et si par hasard vous ne croyez pas au grand amour, ne vous gênez pas pour le dire en expliquant pourquoi.

L'affreux Chouquet

Lorsque le narrateur révèle à M. Chouquet l'amour que lui a toujours porté la rempailleuse, la réaction du pharmacien l'étonne. Pourtant, certains détails de l'histoire permettent de pressentir le caractère sordide du personnage. Relevez ces détails et montrez comment l'auteur laisse entendre que la cupidité et la sécheresse de cœur sont, depuis l'enfance, des traits de caractère de M. Chouquet.

Parallèles

La Rempailleuse et *Clochette* évoquent le destin de deux femmes solitaires qui ont souffert l'une de la lâcheté, l'autre de l'indifférence d'hommes soucieux de préserver avant tout leur bonne réputation. On peut ainsi établir un parallèle entre, d'une part, Clochette et la rempailleuse, et, d'autre part, Chouquet et l'aide-instituteur. Comparez ces deux textes en notant les points communs entre ces personnages, mais aussi ce qui les distingue.

Les deux histoires ont un autre point commun : elles sont racontées par des personnes extérieures au drame, mais qui en ont connu les protagonistes. A votre avis, quel est l'intérêt de ce procédé narratif et qu'ajoute-t-il au récit ?

Pages mélangées

Le texte qui apparaît ci-dessous a été composé à l'aide de mots et de membres de phrases qui figurent, les uns dans une page de *La Rempailleuse,* les autres dans une page de *Clochette.*

Votre bonne connaissance de ces deux récits devrait vous permettre de retrouver ces deux pages sans grande difficulté...

ELLE FIT SEMBLANT DE RENTRER CHEZ ELLE ET ALLA SE CACHER, JOUANT AUX BILLES AVEC SES CAMARADES. SON AMOUREUX COMMENÇAIT A LUI CONTER FLEURETTE. ELLE LUI DONNA SON FOIN, UN VRAI TRÉSOR QUI LE FIT RIRE D'UN RIRE CONTENT.

Solutions page 223

LE TROU - PIERROT
Avez-vous bien lu ces deux contes ?

Voici les questions auxquelles vous allez devoir répondre. Ajoutez ensuite les points obtenus au total que vous possédez déjà.

1. *Qu'est-ce que le « casque à mèche » dont il est question dans « Le Trou » ?*
A. Un bonnet que porte M. Renard
B. Un alcool de fruit
C. Un vin blanc

2. *Pour quelle raison M. Renard finit-il par taper sur le « petit coutil » ?*
A. Parce que celui-ci l'a insulté
B. Parce qu'il s'est précipité sur Mme Renard pour la frapper
C. Parce qu'il a pêché un énorme poisson, ce qui provoque chez M. Renard une jalousie meurtrière

3. *Quel est le verdict du tribunal à l'issue du procès ?*
A. L'accusé est condamné à vingt ans de prison
B. Il est condamné à payer des dommages et intérêts à la veuve de la victime
C. Il est acquitté

4. *Dans la nouvelle qui raconte l'histoire de « Pierrot », pour quelle raison Mme Lefèvre désire-t-elle se débarrasser de son chien ?*
A. Parce qu'il n'aboie que pour demander à manger et non pour prévenir de la présence d'un étranger
B. Parce qu'il coûte trop cher à nourrir
C. Parce qu'elle ne veut pas payer l'impôt qui était réclamé à l'époque aux propriétaires de chiens

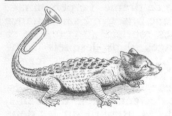

5. *Sous quelle forme se manifestent les remords de Mme Lefèvre après que Pierrot eut été jeté dans le puits ?*
A. Elle perd peu à peu l'appétit
B. Ses nuits sont hantées de cauchemars dans lesquels son chien lui apparaît sans cesse
C. Elle ne peut s'empêcher de pleurer, hantée par le souvenir de l'animal

6. *Qu'arrive-t-il au chien à la fin de l'histoire ?*
A. Il est récupéré par sa maîtresse
B. Il finit par mourir de faim
C. Il se retrouve en compagnie d'un chien plus gros que lui et qui finira sans doute par le manger

Solutions page 221

Le parler vrai

Dans la nouvelle intitulée *Le Trou*, Maupassant s'est efforcé de traduire sous forme écrite le parler populaire qui correspond à la classe sociale à laquelle appartient M. Renard.
1. Les expressions familières qu'il emploie sont nombreuses : aussi n'aurez-vous aucun mal à en relever au moins cinq, parmi celles qui vous paraîtront les plus typiques.

2. Commentez ensuite le style de ce monologue : l'auteur, à votre avis, a-t-il réussi à produire l'effet désiré, autrement dit, le ton, le vocabulaire employé, vous paraissent-ils authentiques ? Ou bien cette « écriture parlée » vous semble-t-elle sonner faux par moments ? Dans ce cas, citez les passages qui sont, à vos yeux, les moins réussis.

Monsieur Renard aujourd'hui

De nos jours, ce sont les places de parking, plutôt que les lieux de pêche, qui occasionnent des querelles semblables à celle qui oppose M. Renard à M. Flamèche. En imitant le récit de Maupassant, essayez d'écrire un texte d'une ou deux pages mettant en scène un M. Renard moderne qui aurait tué un M. Flamèche à la suite d'une querelle entre automobilistes. Vous vous efforcerez d'employer vous aussi un style parlé, mais plus actuel, bien sûr, que celui du XIXe siècle.

Misogynie

Si l'on en croit les déclarations de M. Renard, ce sont les femmes qui sont à l'origine de ce drame. Le personnage fait preuve, en l'occurrence, d'une misogynie sans nuance qui s'exprime à de nombreuses reprises au cours de sa déclaration. Notez ces passages dans lesquels Mme Renard ou Mme Flamèche sont décrites en des termes peu flatteurs et montrez ce qu'ils ont d'excessif, même si l'on admet que les deux femmes aient eu une part de responsabilité importante dans le déclenchement du drame. Ce rejet de la responsabilité de M. Renard sur les deux épouses semble être un bon système de défense puisque l'accusé finit par obtenir son acquittement. A votre avis, cet acquittement est-il justifié ? Donnez votre point de vue en développant les arguments sur lesquels il repose.

La maladie de l'avarice

Le comportement de Mme Lefèvre est dicté par une avarice sordide qui la dispose à toutes les cruautés pour économiser quelques sous. Dès qu'il est question d'argent, tout sentiment s'évanouit en elle et fait place à l'horreur d'avoir à dépenser quoi que ce soit, fût-ce la somme la plus modeste. Que vous inspire cette femme ? Pitié ou dégoût ? Connaissez-vous ou avez-vous connu des avares ? Si oui, faites le portrait de l'un d'eux – ou de l'une d'elles – en racontant une anecdote particulièrement révélatrice de son obsession de l'argent. Que vous inspire l'avarice en général ? Est-ce pour vous un défaut grave, voire une véritable maladie, ou une simple manie, somme toute pardonnable ?

Un vrai bâtard

« Un étrange petit animal tout jaune, presque sans pattes, avec un corps de crocodile, une tête de renard et une queue en trompette, un vrai panache, grand comme tout le reste de sa personne. » C'est ainsi que Maupassant décrit Pierrot. En vous inspirant de cette description, essayez de dessiner Pierrot et de déterminer quels croisements ont pu aboutir à ce résultat. Le corps, par exemple, fait penser au basset. Quelles autres races évoquent pour vous la tête et la queue ? Si vous deviez, à votre tour, imaginer un chien étrange, à quoi ressemblerait-il ? Voici quelques races de chiens dont vous pourriez vous inspirer pour créer un magnifique bâtard :

CANICHE / BOULEDOGUE / PÉKINOIS / COCKER / LÉVRIER / FOX-TERRIER

Lorsque vous aurez conçu votre créature, décrivez-la et dessinez-la.

LA FICELLE - MON ONCLE JULES - DENIS

Avez-vous bien lu ces trois contes ?

Les questions suivantes vont vous permettre de le vérifier. N'oubliez pas d'ajouter le résultat obtenu à votre total.

1. *Dans le conte « La Ficelle », de quoi maître Hauchecorne est-il accusé exactement ?*
A. D'avoir volé une bourse remplie d'écus
B. D'avoir dérobé une montre
C. D'avoir volé un portefeuille

2. *Quand maître Hauchecorne sort de chez le maire, les paysans :*
A. Refusent désormais de lui adresser la parole
B. L'insultent en le traitant à leur tour de voleur
C. Sont persuadés qu'il est bel et bien le voleur, mais l'histoire les fait plutôt rire

3. *Qu'arrive-t-il à la fin de l'histoire ?*
A. Maître Hauchecorne avoue qu'il est le voleur et rend l'objet dérobé
B. Maître Hauchecorne finit par retrouver lui-même l'objet volé et le rapporte au maire, ce qui renforce les soupçons de ce dernier
C. Il meurt de désespoir et de folie car tout le monde se refuse à admettre son innocence

4. *Dans « Mon oncle Jules », qu'est devenu le personnage qui donne son titre à la nouvelle ?*
A. Marin sur un ferry-boat
B. Écailleur d'huîtres sur un bateau
C. Mendiant dans une rue proche du port

5. *Comment le père du narrateur réagit-il lorsqu'il retrouve son frère Jules ?*
A. Il est ému et le serre contre son cœur
B. Il s'arrange pour ne pas se faire reconnaître de lui
C. Il lui donne vingt sous, mais sans révéler son identité

6. *Dans la nouvelle intitulée « Denis », pour quelle raison le domestique tente-t-il d'assassiner son maître ?*
A. Parce qu'il est devenu soudainement fou
B. Pour lui voler l'argent que M. Marambot vient de recevoir
C. Pour se venger d'une réprimande que son maître lui a faite

7. *Pour quel motif Denis est-il arrêté par les gendarmes ?*
A. Parce que son maître l'a dénoncé
B. Parce qu'il a volé un portefeuille
C. Parce qu'il a volé deux canards

8. *Lors du procès de Denis, quelle raison donne M. Marambot pour expliquer qu'il n'ait pas renvoyé son domestique après la tentative de meurtre ?*
A. On a tant de mal à trouver des domestiques
B. Il m'a soigné avec tant de dévouement
C. J'avais peur qu'il ne revienne se venger

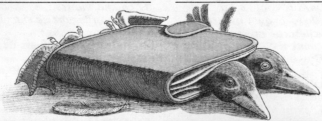

Solutions page 221

Sons et odeurs

Guy de Maupassant trace du marché de Goderville un tableau particulièrement vivant et coloré. L'évocation des sons et des odeurs, notamment, contribue à lui donner son authenticité. Relisez attentivement les trois premières pages de *La Ficelle* jusqu'à : « cherchant sans fin à découvrir la ruse de l'homme et le défaut de la bête », notez toutes les indications relatives à ces sons et à ces odeurs et expliquez l'importance que revêt chacune d'elles dans l'ensemble de la description.

Tout est bon qui peut servir

Après avoir ramassé le bout de ficelle devant maître Malandain qui l'observe à son insu, maître Hauchecorne est « pris d'une sorte de honte » en découvrant qu'on a surpris son geste. Essayez d'analyser ce sentiment de honte : d'où vient-il ? Quelle réaction entraîne-t-il ? Et comment cette réaction est-elle interprétée plus tard ? A votre avis, que se serait-il passé si, au lieu d'un bout de ficelle, maître Hauchecorne avait découvert le portefeuille perdu ? Cherchez dans le texte des éléments précis qui justifient chacune de vos réponses.

Un oncle peu recommandable

La plupart des grandes familles comptent en leur sein un oncle ou un cousin « peu recommandable ». L'oncle Jules illustre bien cette tradition... Tout comme dans la nouvelle, il arrive fréquemment que ces brebis galeuses de l'ordre familial exercent une fascination particulière sur les enfants : en l'occurrence, comment, selon vous, pourrait-on définir les sentiments qu'inspire au jeune garçon la découverte soudaine de cet oncle mythique ? Expliquez l'envie qu'il éprouve de se faire reconnaître par le vieux marin. Quelle aurait été votre réaction à la place du narrateur ? Auriez-vous agi de même ou différemment, au risque de provoquer un drame familial ? Si vous deviez avoir vous-même un oncle inconnu, à l'existence aventureuse, comment l'imagineriez-vous ? Et vous, aimeriez-vous devenir l'un de ces personnages ? Si oui, essayez d'imaginer ce que pourrait être alors votre vie.

Gueux et noceurs

« Les conséquences seules déterminent la gravité de l'acte », écrit l'auteur dans *Mon oncle Jules.* (p. 117) Relisez le passage qui se conclut par cette phrase.
Que pensez-vous de cette remarque ? Vous semble-t-elle pertinente ?
S'applique-t-elle uniquement aux « noceurs » et aux « gueux », selon les termes de Maupassant, ou a-t-elle à vos yeux une portée plus générale, voire universelle ?
Donnez d'autres exemples qui peuvent la justifier ou au contraire la démentir, selon le point de vue que vous adopterez.

Un assassin fidèle...

Garder à son service un domestique qui a tenté de vous assassiner, voilà qui semble pour le moins inattendu. Les raisons pour lesquelles le pharmacien Marambot agit ainsi dans la nouvelle intitulée *Denis* paraissent quelque peu ambiguës. Quelles sont exactement ces raisons ?
Relevez chacune d'elles dans le texte et essayez de mettre en évidence les traits de caractère qu'elles révèlent. Par exemple, voyez-vous dans l'attitude du pharmacien une manifestation de générosité, ou d'autres sentiments peut-être moins nobles ?

LA PEUR - LE LOUP
Avez-vous bien lu ces deux contes ?

Répondez aux questions ci-dessous, puis consultez les solutions. Comptez un point par bonne réponse. Vous ajouterez votre résultat au total que vous avez déjà obtenu.

1. *Dans la première partie de la nouvelle intitulée « La Peur », quel phénomène provoque la peur du narrateur ?*
A. Une tempête de sable
B. La mort de son compagnon
C. Un battement de tambour

2. *Dans quelle région de France se passe la deuxième histoire racontée par le narrateur ?*
A. En Bretagne
B. Dans le Nord-Est
C. En Corse

3. *Quel est exactement le thème de cette deuxième histoire ?*
A. La mort d'un chien
B. Le meurtre d'un braconnier
C. L'apparition d'un revenant

4. *Dans la nouvelle intitulée « Le Loup », de quelle façon le marquis d'Arville trouve-t-il la mort ?*
A. Déchiqueté et dévoré par le loup
B. En heurtant la branche d'un arbre
C. En tombant de cheval

5. *Comment le frère du marquis finit-il par tuer le loup ?*
A. A mains nues
B. A coups de fusil
C. A coups de bâton

Solutions page 221

La peur de votre vie

Le narrateur de *La Peur* prétend n'avoir éprouvé ce sentiment que deux fois dans sa vie, malgré tous les périls qu'il a eu à affronter au cours de son existence.

Et vous ? Vous est-il déjà arrivé d'avoir vraiment peur ? Si oui, racontez dans quelles circonstances. Sinon, imaginez et décrivez une situation susceptible de vous inspirer la peur de votre vie...

Peur ou anxiété ?

« Un homme énergique n'a jamais peur en face du danger pressant. Il est ému, agité, anxieux ; mais la peur, c'est autre chose. » Ainsi s'exprime le narrateur, (p. 140) avant de faire le récit des deux grandes peurs de sa vie.

– Que pensez-vous de cette phrase ?
– Quelle distinction faites-vous entre l'anxiété ou l'émotion, d'une part, et la peur d'autre part ? Essayez de donner des exemples de situations qui suscitent soit l'anxiété, soit la peur. Prenez ces exemples dans des livres, des films ou la réalité, à votre guise.

Terreur dans la grille

Dans cette grille de mots croisés se cache un personnage célèbre qui a souvent inspiré la terreur. Si vous n'avez pas peur de le découvrir, remplissez la grille à l'aide des définitions : son nom apparaîtra alors en diagonale, de gauche à droite.

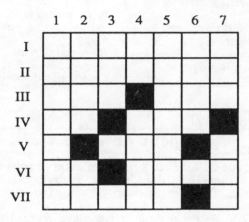

Horizontalement

I. Paroles de fou – II. Dressera une statue, par exemple – III. Dit non. De chasse ou au pied – IV. Dans un tacot. Gare à sa matraque ! – V. Ville des Pyrénées-Atlantiques – VI. Conjonction. Pour se promener ou faire la course – VII. Difficiles

Verticalement

1. Permet à certains de manger autre chose que de la soupe – 2. Prénom masculin. Qui n'est pas dit – 3. Attacha – 4. Dans une figue. En sous-sol – 5. Jeunes, on les retrouve sous les drapeaux – 6. Dieu de l'Antiquité armé d'un arc et d'une flèche – 7. Abréviation pour une tête couronnée. Serpent

Solutions page 224

Etranges passions

« C'est beau d'avoir des passions pareilles », conclut une femme à la fin de la nouvelle intitulée *Le Loup*. Discernez-vous une quelconque beauté dans la passion des frères Arville ? Si oui, expliquez en quoi cette passion vous paraît belle. Sinon, quel sentiment vous inspire la personnalité des deux frères ?

LE BONHEUR - LA PARURE

Avez-vous bien lu ces deux contes ?

Dès que vous aurez répondu à ces dernières questions, vérifiez l'exactitude de vos réponses, établissez votre total définitif et lisez le paragraphe correspondant à votre résultat.

1. *Dans « Le Bonheur », qui est la vieille femme que rencontre le narrateur ?*
A. Une ancienne bourgeoise
B. La veuve d'un industriel
C. La fille d'un colonel

2. *A la fin de l'histoire, elle confie au narrateur :*
A. Qu'elle regrette un peu sa richesse passée
B. Qu'elle regrette de n'être jamais retournée sur le continent
C. Qu'elle ne regrette rien

3. *Dans le conte intitulé « La Parure », quel est le bijou que Mme Loisel emprunte à son amie ?*
A. Une rivière de diamants
B. Un collier de perles
C. Une broche en diamant

4. *Combien de temps M. et Mme Loisel mettent-ils à rembourser le bijou perdu ?*
A. Dix ans
B. Quinze ans
C. L'auteur ne le précise nulle part

Solutions page 221

D'amour et d'eau fraîche

L'histoire de l'héroïne du *Bonheur* est sans nul doute émouvante, même si elle peut paraître à certains assez peu vraisemblable. En effet, rares sont celles ou ceux qui seraient prêts à abandonner leur richesse, à renoncer à tout confort, à toute ambition sociale, pour mener une vie austère auprès de l'être aimé. Vous-même, accepteriez-vous par amour une telle existence ? Vous imaginez-

vous changeant radicalement de vie pour suivre la personne que vous aimez ? Autrement dit, avez-vous la
même conception du bonheur que Suzanne de Sirmont ?
Ou bien pensez-vous au contraire que le bonheur est
incompatible avec la pauvreté ? Donnez votre point de
vue en l'illustrant avec des exemples pris dans la littérature, le cinéma, l'histoire, ou tirés de votre imagination.

Une sotte

« Elle avait un idéal trop facile, des besoins trop primitifs
et des exigences trop simples. Ce ne pouvait être qu'une
sotte. » Ainsi s'exprime une femme, à la fin de la nouvelle. Que pensez-vous de cette réflexion ? Que traduit-
elle chez celle qui l'exprime ? Un idéal trop facile, des
exigences trop simples sont-ils la marque de la sottise ?
Développez en quelques lignes votre opinion à ce sujet.

Une soirée hors de prix

Dans le conte intitulé *La Parure,* Mme Loisel sacrifie des
années de sa vie pour rembourser un bijou qu'elle n'a porté
qu'une seule soirée. Que pensez-vous de la réaction des Loisel face à la malchance qui les frappe ? Ne pouvaient-ils se
tirer d'affaire autrement ? De quelle façon, à votre avis ?

Pas si pauvre

M. et Mme Loisel sont présentés par l'auteur comme des gens
très modestes qui vivent chichement. Pourtant, certains
détails laissent supposer qu'ils ne sont pas vraiment pauvres
et qu'ils disposent même, à l'occasion, d'une relative aisance.
Relevez ces détails et mettez-les en parallèle avec les indications qui, au contraire, révèlent leur manque de moyens
financiers. Lorsque vous aurez rassemblé tous ces éléments,
vous essaierez de les transposer à notre époque : quels
seraient alors ces signes de pauvreté et ces signes d'aisance ?
Quelle profession exercerait M. Loisel ? Sa femme travaille-
rait-elle ? Où habiteraient-ils ? A quel genre de soirée
auraient-ils été invités ? Quel bijou, ou quel autre accessoire
de prix, Mme Loisel aurait-elle emprunté ? Lorsque vous
aurez apporté une réponse à toutes ces questions, vous choisi-
rez un passage de la nouvelle et vous vous efforcerez de le ré-
écrire comme si l'histoire se passait aujourd'hui.

Mots croisés de la fin

Voici une dernière grille de mots croisés dans laquelle vous retrouverez diverses références aux nouvelles que vous venez de lire. Si votre lecture a été attentive, vous ne devriez pas avoir trop de mal à la remplir.

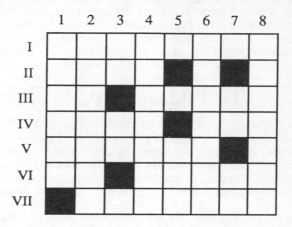

Horizontalement

I. C'est un pharmacien – II. Certains le donnent sans qu'on le leur ait demandé... – III. Dans un piano. Fit grand bruit dans le ciel – IV. A l'origine d'une dispute entre pêcheurs. C'est un ennui, ou parfois le signe qu'on n'a plus toute sa tête – V. Débarrassée de ses impuretés – VI. Un bec sans tête. Dans sa simplicité, le style de Maupassant mérite souvent ce qualificatif – VII. Ont perdu beaucoup de leur eau

Verticalement

1. Le dénommé Hauchecorne, par exemple – 2. De nombreux personnages de Maupassant manifestent la leur sans vergogne – 3. Participe passé. N'importe qui – 4. Habiletés qu'on trouve chez certains personnages de Maupassant – 5. Le début d'une époque – 6. La fille du colonel l'a trouvé en Corse – 7. Négation. Note – 8. Dessinées ou creusées à la manière d'un sillon

Solutions page 224

2
LES PERSONNAGES SORDIDES DANS LA LITTÉRATURE

Avares, fourbes, hypocrites, les personnages aussi sordides que ceux décrits par Maupassant ne manquent pas dans la littérature. En voici quelques-uns : parmi eux, quelques noms célèbres qui évoquent les turpitudes qu'engendrent l'envie, la cupidité et la sécheresse de cœur...

Le Tableau de Paris

Louis-Sébastien Mercier, écrivain français du XVIIIe siècle, a tracé, dans son œuvre la plus célèbre, Le Tableau de Paris, *une multitude de portraits qui décrivent les Parisiens dans toute leur diversité. Certains de ces portraits ne sont guère flatteurs, celui des « agioteurs », par exemple, c'est-à-dire les banquiers et agents de change de l'époque...*

« Ils se multiplient, ils s'attroupent, ils accourent des bords du lac Léman et de ceux du Rhône ; ils vendent leur or en raison du besoin. Au sein de l'incurie et de la paresse, quelquefois sans rien débourser, ils s'enrichissent également des craintes et des espérances ; enfin ils mettent à profit les calamités publiques, et gagnent lâchement et sans travail des sommes immenses, parce qu'ils ont su faire de tous côtés un vil accaparement d'espèces monnayées. La fureur du gain les transporte à la bourse, dans l'arène du jeu, et là quelquefois ils se prennent à la gorge et se frappent sans s'avilir.

Ce système usuraire, publiquement adopté, a contribué plus que tout autre abus à la décadence des mœurs. Cette cupidité perfide qui, sous le nom de banque, mine les petites propriétés a cessé d'avoir une physionomie honteuse ; et cette opinion basse et désordonnée a entraîné d'autres désordres.

Ces agioteurs n'ont aucune idée patriotique : étrangers à la nation, ils ne savent que cacher l'argent, et, par des manœuvres souples, faire naître des craintes imaginaires. Plus d'argent pour de nobles opérations : on tourmente ces métaux stériles pour le travail d'une usure presque journalière ; on calcule quel sera le besoin de l'État et celui de chaque particulier ; les accapareurs rassemblent les masses pour mieux épuiser les petites caisses, afin qu'elles viennent implorer leur secours. Il n'y a plus d'argent pour les sciences, pour les arts, pour les entreprises généreuses et utiles ; l'infatigable démon de l'usure dit à tout millionnaire d'emprunter encore, et de jouer avec l'argent d'autrui. Le crédit dont il jouit, il le tourne contre ceux qu'il achève d'épuiser.

Si cet agiotage recevait du moins son véritable nom, l'ami de l'ordre et de l'équité se consolerait en voyant la honte publique attachée à ces viles et dangereuses manipulations ; mais non, ces fortunes monstrueuses sont légitimées au bout de quelque temps ; on oublie les sources fangeuses d'où elles sont émanées, on innocente ces mains avides qui ont desséché ce qui devait vivifier les racines des arts et des métiers ; on porte envie à ces coupables opulents qui, sans risque, sans péril, sans avances, sans travaux, ont accumulé des sacs, parce qu'ils ont été *marchands d'argent.* »

Louis-Sébastien Mercier,
Le Tableau de Paris

Eugénie Grandet

Dans son roman Eugénie Grandet, *Honoré de Balzac décrit plusieurs « physionomies bourgeoises », et notamment celle de M. Grandet, tonnelier et vigneron enrichi, qui sacrifiera sans hésitation sa propre fille à ses sordides intérêts.*

« Peu dormeur, Grandet employait la moitié de ses nuits aux calculs préliminaires qui donnaient à ses vues, à ses observations, à ses plans, leur étonnante justesse et leur assuraient cette constante réussite de laquelle s'émerveillaient les Saumurois. Tout pouvoir humain est un composé de patience et de temps. Les gens puissants veulent et veillent. La vie de l'avare est un constant exercice de la puissance humaine mise au service de la *personnalité*. Il ne s'appuie que sur deux sentiments :

l'amour-propre et l'intérêt ; mais l'intérêt étant en quelque sorte l'amour-propre solide et bien entendu, l'attestation continue d'une supériorité réelle, l'amour-propre et l'intérêt sont deux parties d'un même tout, l'égoïsme. De là vient peut-être la prodigieuse curiosité qu'excitent les avares habilement mis en scène. Chacun tient par un fil à ces personnages qui s'attaquent à tous les sentiments humains, en les résumant tous. Où est l'homme sans désir, et quel désir social se résoudra sans argent ?

Grandet avait bien réellement *quelque chose,* suivant l'expression de sa femme. Il se rencontrait en lui, comme chez tous les avares, un persistant besoin de jouer une partie avec les autres hommes, de leur gagner légalement leurs écus. Imposer autrui, n'est-ce pas faire acte de pouvoir, se donner perpétuellement le droit de mépriser ceux qui, trop faibles, se laissent ici-bas dévorer ? Oh ! qui a bien compris l'agneau paisiblement couché aux pieds de Dieu, le plus touchant emblème de toutes les victimes terrestres, celui de leur avenir, enfin la souffrance et la faiblesse glorifiées ? Cet agneau, l'avare le laisse s'engraisser, il le parque, le tue, le cuit, le mange et le méprise. La pâture des avares se compose d'argent et de dédain.

Pendant la nuit, les idées du bonhomme avaient pris un autre cours : de là sa clémence. Il avait ourdi une trame pour se moquer des Parisiens, pour les tordre, les rouler, les pétrir, les faire aller, venir, suer, espérer, pâlir ; pour s'amuser d'eux, lui, ancien tonnelier, au fond de sa salle grise, en montant l'escalier vermoulu de sa maison de Saumur. Son neveu l'avait occupé. Il voulait sauver l'honneur de son frère mort sans qu'il en coûtât un sou ni à son neveu ni à lui. Ses fonds allaient être placés pour trois ans, il n'avait plus qu'à gérer ses biens ; il fallait donc un aliment à son activité malicieuse, et il l'avait trouvé dans la faillite de son frère. Ne se sentant rien entre les pattes à pressurer, il voulait concasser les Parisiens au profit de Charles, et se montrer excellent frère à bon marché. L'honneur de la famille entrait pour si peu de chose dans son projet, que sa bonne volonté doit être comparée au besoin qu'éprouvent les joueurs de voir bien jouer une partie dans laquelle ils n'ont pas d'enjeu. »

Honoré de Balzac,
Eugénie Grandet

Othello

Othello, général more au service de la république de Venise, a épousé la belle Desdémone, fille d'un sénateur. Roderigo, gentilhomme vénitien, doit ainsi renoncer à l'amour qu'il a pour elle. Désespéré, il songe à se noyer, mais Iago, officier attaché au service du More, l'en dissuade. Il se fait fort, dit-il, de ramener la belle jeune femme dans les bras de Roderigo. Il n'a besoin pour cela que de ruse et d'argent... Le gentilhomme promet de trouver cet argent, sans se douter que Iago, lui aussi, rêve de séduire Desdémone tout en se vengeant du More et de son lieutenant Cassio, dont il aimerait bien prendre la place... Iago, le personnage de Shakespeare, est resté célèbre par sa fourberie et sa bassesse dont le monologue que voici donne une assez bonne idée.

« – Iago. Bon ! Adieu ! Remplissez bien votre bourse. *(Roderigo sort.)* Voilà comment je fais toujours ma bourse de ma dupe. Car ce serait profaner le trésor de mon expérience que de dépenser mon temps avec une pareille bécasse sans en retirer plaisir et profit. Je hais le More. On croit de par le monde qu'il a, entre mes draps, rempli mon office d'époux. J'ignore si c'est vrai ; mais, moi, sur un simple soupçon de ce genre, j'agirai comme sur la certitude. Il fait cas de moi. Je n'en agirai que mieux sur lui pour ce que je veux... Cassio est un homme convenable... Voyons maintenant... Obtenir sa place et donner pleine envergure à ma vengeance : coup double ! Comment ? comment ? Voyons... Au bout de quelque temps, faire croire à Othello que Cassio est trop familier avec sa femme. Cassio a une personne, des manières caressantes, qui prêtent au soupçon ; il est bâti pour rendre les femmes infidèles. Le More est une nature franche et ouverte qui croit honnêtes les gens, pour peu qu'ils le paraissent : il se laissera mener par le nez aussi docilement qu'un âne. Je tiens le plan : il est conçu. Il faut que l'enfer et la nuit produisent à la lumière du monde ce monstrueux embryon ! *(Il sort.)* »

William Shakespeare,
Othello,
traduction de François-Victor Hugo,
© Garnier-Flammarion

Les Misérables

Jean Valjean, héros du roman de Victor Hugo Les Misérables, *est un repris de justice au cœur généreux qui a promis à une pauvre femme sur son lit de mort, Fantine, d'aller chercher sa fille, Cosette, qu'elle avait dû confier à un couple d'aubergistes, les Thénardier. Lorsque Jean Valjean se rend à l'auberge, il constate que l'infortunée Cosette est devenue le souffre-douleur des tenanciers qui la maltraitent sans le moindre scrupule. Jean Valjean décide alors de l'emmener, à la plus grande joie de Mme Thénardier qui s'écrie : « Ah monsieur ! mon bon monsieur ! prenez-la, gardez-la, emmenez-la, emportez-la, sucrez-la, truffez-la, buvez-la, mangez-la ! » Mais son mari comprend très vite qu'il pourrait exploiter beaucoup mieux la situation...*

« – Hé, notre petite Cosette ! ne voulez-vous pas nous l'emmener ? Eh bien, je parle franchement, vrai comme vous êtes un honnête homme, je ne peux pas y consentir. Elle me ferait faute, cette enfant. J'ai vu ça tout petit. C'est vrai qu'elle nous coûte de l'argent, c'est vrai qu'elle a des défauts, c'est vrai que nous ne sommes pas riches, c'est vrai que j'ai payé plus de quatre cents francs en drogues rien que pour une de ses maladies ! Mais il faut bien faire quelque chose pour le bon Dieu. Ça n'a ni père ni mère, je l'ai élevée. J'ai du pain pour elle et pour moi. Au fait j'y tiens, à cette enfant. Vous comprenez, on se prend d'affection ; je suis une bonne bête, moi ; je ne raisonne pas ; je l'aime, cette petite ; ma femme est vive, mais elle l'aime aussi. Voyez-vous, c'est comme notre enfant. J'ai besoin que ça babille dans la maison.

L'étranger le regardait toujours fixement. Il continua :

– Pardon, excuse, monsieur, mais on ne donne point son enfant comme ça à un passant. Pas vrai que j'ai raison ? Après cela, je ne dis pas, vous êtes riche, vous avez l'air d'un bien brave homme, si c'était pour son bonheur ? mais il faudrait savoir. Vous comprenez ? une supposition que je la laisserais aller et que je me sacrifierais, je voudrais savoir où elle va, je ne voudrais pas la perdre de vue, je voudrais savoir chez qui elle est, pour l'aller voir de temps en temps, qu'elle sache que son bon père nourricier est là, qu'il veille sur elle. Enfin il y a des choses qui ne sont pas possibles. Je ne sais seulement pas votre nom ? Vous l'emmèneriez, je dirais : eh bien, l'Alouette ? où donc a-t-elle passé ? Il faudrait au moins voir quelque méchant chiffon de papier, un petit bout de passeport, quoi !

L'étranger, sans cesser de le regarder de ce regard qui va, pour ainsi dire, jusqu'au fond de la conscience, lui répondit d'un accent grave et ferme :

— Monsieur Thénardier, on n'a pas de passeport pour venir à cinq lieues de Paris. Si j'emmène Cosette, je l'emmènerai, voilà tout. Vous ne saurez pas mon nom, vous ne saurez pas ma demeure, vous ne saurez pas où elle sera, et mon intention est qu'elle ne vous revoie de sa vie. Je casse le fil qu'elle a au pied, et elle s'en va. Cela vous convient-il ? Oui ou non. (...)

Le Thénardier était un de ces hommes qui jugent d'un coup d'œil une situation. Il estima que c'était le moment de marcher droit et vite. Il fit comme les grands capitaines à cet instant décisif qu'ils savent seuls reconnaître, il démasqua brusquement sa batterie.

— Monsieur, dit-il, il me faut quinze cents francs. »

Victor Hugo,
Les Misérables

La Vengeance du chien

Luigi Pirandello, écrivain sicilien (1867-1936), n'est pas seulement un grand auteur dramatique, il a également écrit de nombreuses nouvelles dont La Vengeance du chien : *un paysan, Jaco Naca, a vendu à un étranger une partie de sa terre aride située à quelques kilomètres de la mer. L'acquéreur y fait construire des villas qu'il loue à des vacanciers, ce qui déplaît au paysan. Rongé d'amertume et de jalousie, ce dernier tente de se venger en utilisant un malheureux chien pour rendre la vie impossible à ses nouveaux voisins.*

« Pour faire enrager ces gens et se venger de l'étranger au moins de cette manière, quand il n'avait plus rien pu faire d'autre, il avait traîné là en bas dans cette fosse un gros chien de garde ; il l'avait attaché à une courte chaîne fixée en terre et laissé là, jour et nuit, mort de faim, de soif et de froid.

— Hurle à ma place !

Pendant la journée, quand Jaco Naca était autour de son jardin à biner, dévoré de rancune, l'œil torve dans le jaune terreux de sa face, le chien par peur restait muet. Couché par terre, le museau allongé sur ses deux pattes de devant, il levait tout au plus les yeux avec un soupir ou un long bâillement gémissant à s'en décrocher la mâchoire dans l'attente d'un quignon de pain que son maître de temps en temps lui lançait comme une pierre, s'amusant aussi parfois à le voir se démener, si le quignon roulait au-delà de la longueur de la chaîne. Mais le soir, dès qu'on l'avait laissée seule là en bas, et ensuite pendant la nuit, la pauvre bête se mettait à geindre, se lamenter, hurler si fort, avec une intensité si douloureuse, un appel si implorant à l'aide et à la pitié que tous les locataires des deux villas se réveillaient et ne pouvaient se rendormir. (...)

D'un étage à l'autre, d'un appartement à l'autre, dans le silence de la nuit, on entendait les ronchonnements, les soupirs, les imprécations, les accès de fureur de tous ces gens arrachés au meilleur de leur sommeil ; les appels, les pleurs des enfants effrayés, le clappement des pieds nus, le glissement des savates quand les mamans accouraient.

Était-ce possible que cela continuât ainsi ? De toutes parts les réclamations avaient commencé de pleuvoir sur le propriétaire, lequel, après avoir plusieurs fois tenté et toujours vainement, tantôt par la douceur, tantôt par la manière forte, d'obtenir de ce triste sire qu'il cessât d'infliger le martyre à la pauvre bête, avait conseillé d'envoyer à la mairie une pétition signée de tous les locataires.

Mais cette pétition elle-même n'avait abouti à rien. La distance voulue par les règlements s'étendait des résidences à l'endroit où le chien se trouvait enchaîné ; si ensuite, à cause de la profondeur du vallon et de la position élevée où se dressaient les résidences, il semblait que les aboiements éclataient juste sous les fenêtres, Jaco Naca n'encourait aucune responsabilité : il ne pouvait enseigner au chien à hurler d'une manière plus gracieuse aux oreilles de ces messieurs dames ; si le chien aboyait, c'était son métier... »

Luigi Pirandello,
Nouvelles pour une année,
traduction de Georges Pironet,
© Gallimard

3
SOLUTIONS DES JEUX

Avez-vous du cœur ?
(p. 189)

A l'aide du tableau ci-dessous, calculez le nombre de ☆, de ○ et de □ que vous avez obtenus en cochant vos réponses, puis lisez le paragraphe correspondant à votre résultat.

1	**A.** ○○		**B.** □□		**C.** ☆☆☆	
2	**A.** □□□		**B.** ○○		**C.** ☆☆	
3	**A.** □□		**B.** ○○		**C.** ☆☆	
4	**A.** ☆☆		**B.** □□		**C.** ○○	
5	**A.** ☆☆		**B.** □□		**C.** ○○	
6	**A.** ○○○		**B.** ☆☆☆		**C.** □□□	
7	**A.** ○○○		**B.** ☆☆		**C.** □□□	
8	**A.** □□□		**B.** ○○		**C.** ☆☆☆	
9	**A.** □□□		**B.** ☆☆		**C.** ○○	
10	**A.** ☆☆		**B.** □□□		**C.** ○○○	

Si vous n'avez obtenu que des ☆ : il ne serait pas étonnant que vous soyez un jour sanctifié ! Difficile en effet de trouver quelqu'un qui fasse preuve d'autant de générosité que vous. Vous avez littéralement le cœur sur la main et jamais votre altruisme n'est mis en défaut. Vous avez de nombreux amis (comment pourrait-on ne pas être votre ami ?), mais il est à craindre que certains profitent un peu trop de votre bonté naturelle. Aussi, faites attention : ne vous laissez pas exploiter par des gens peu scrupuleux qui verraient en vous la « bonne pâte » idéale ! En revanche, vous feriez merveille si vous décidiez de vous consacrer à des causes humanitaires : vous avez un don exceptionnel dans ce domaine !

Si vous avez obtenu une majorité de ☆ : vous avez un tempérament généreux qui se dément rarement. Vous êtes quelqu'un sur qui on peut toujours compter et vous avez le don de répandre la paix et l'harmonie autour de vous.

Vous attirez toutes sortes de gens qui vous font spontané-
ment confiance et à qui vous prodiguez volontiers vos bienfaits. Vous savez à merveille écouter les autres et leur
mettre du baume au cœur lorsque le besoin s'en fait sentir.
Comme vous débordez d'énergie, cette générosité naturelle
se manifeste sans effort de votre part et c'est la raison pour
laquelle certains ont parfois tendance à abuser quelque peu
de votre bienveillance ; vous ne leur en tenez jamais
rigueur, cependant. Les personnages tels que vous rendent
la vie plus facile et on regrette parfois qu'il n'y en ait pas
davantage. Fort heureusement, vous existez et c'est déjà
beaucoup !

Si vous avez obtenu une majorité de ○ : vous avez réussi à
réaliser un bon équilibre entre votre générosité, qui est
réelle, et votre souci de préserver un « jardin secret » où
vous ne laissez pas entrer grand monde. Vous avez du cœur,
certes, mais vous n'êtes pas à proprement parler un
altruiste. Ce sont surtout vos amis et vos proches qui profitent de votre générosité : vous n'aimez pas la gaspiller en
la manifestant en toute circonstance ou à l'égard de n'importe qui. Vous savez même, à l'occasion, faire preuve d'un
certain égoïsme qu'on ne saurait vous reprocher, car il ne
s'exerce jamais au détriment des autres. Vos élans du cœur
viennent toujours fort à propos et il est rare que vous déce-
viez ceux qui vous font confiance. Cette qualité vous vaut
de nombreux amis dont il y a tout à parier qu'ils vous
témoigneront longtemps leur fidélité !

Si vous avez obtenu une majorité de □ : votre charité est bien
ordonnée : elle commence toujours par vous-même ! Ce
qui ne vous empêche pas, à l'occasion, de faire preuve
d'une certaine générosité ; celle-ci a toutefois des limites
que vous n'hésitez pas à montrer lorsque le besoin s'en fait
sentir. Dire que vous êtes égoïste serait sans doute excessif :
il existe cependant chez vous un souci de préserver votre
tranquillité qui peut parfois se manifester par un certain
repli sur soi. Prenez garde que cette tendance ne dégénère
plus tard en indifférence à l'égard d'autrui : ce serait dommage pour vous-même et pour ceux qui vous aiment. Pour
éviter ce danger, essayez donc de vous ouvrir un peu plus
aux autres, vous en tirerez de grands bienfaits !

Si vous n'avez obtenu que des □ : vous avez dû vous tromper
en donnant vos réponses. A moins que vous ne souhaitiez
ressembler à un personnage de Maupassant...

Avez-vous bien lu ces contes ?

Deux amis - Le Voleur
(p. 191)

1 : A (p. 9) - 2 : C (p. 14) - 3 : B (p. 15) - 4 : A (p. 19) - 5 : C (p. 26) - 6 : C (p. 29) - 7 : A (p. 21)

La Mère Sauvage -
L'Aventure de Walter Schnaffs
(p. 196)

1 : C (p. 34) - 2 : B (p. 40) - 3 : C (p. 40) - 4 : B (p. 56) - 5 : C (p. 50)

La Rempailleuse - Clochette
(p. 198)

1 : C (p. 59) - 2 : B (p. 64) - 3 : C (p. 65) - 4 : C (p. 70) - 5 : C (p. 76) - 6 : A (p. 74)

Le Trou - Pierrot
(p. 200)

1 : C (p. 82) - 2 : B (p. 89) - 3 : C (p. 90) - 4 : C (p. 94) - 5 : B (p. 97) - 6 : C (p. 98)

La Ficelle - Mon oncle Jules - Denis
(p. 203)

1 : C (p. 107) - 2 : C (p. 109) - 3 : C (p. 112) - 4 : B (p. 123) - 5 : B (p. 122) - 6 : A (p. 129) - 7 : C (p. 136) - 8 : A (p. 138)

La Peur - Le Loup
(p. 206)

1 : C (p. 143) - 2 : B (p. 144) - 3 : C (p. 146) - 4 : B (p. 155) - 5 : A (p. 157)

Le Bonheur - La Parure
(p. 209)

1 : C (p. 168) - 2 : C (p. 168) - 3 : A (p. 176) - 4 : A (p.182)

Si vous avez obtenu de 35 à 41 points : félicitations ! Vous serez bientôt un spécialiste de Maupassant ! Ces nouvelles vous ont sans nul doute beaucoup intéressé et vous avez tiré le meilleur profit de votre lecture. Maupassant a écrit un nombre impressionnant de nouvelles, aussi n'aurez-vous que l'embarras du choix pour en lire d'autres !

Si vous avez obtenu de 25 à 34 points : c'est très bien. Vous avez lu ces contes avec attention, mais quelques détails vous ont échappé. Peut-être auriez-vous intérêt à relire certaines nouvelles si vous souhaitez rafraîchir votre mémoire.

Si vous avez obtenu de 15 à 24 points : vous n'avez pas lu ces textes avec suffisamment d'attention, ce qui est dommage. Vous auriez avantage à relire ce que vous avez parcouru trop rapidement, à moins, bien sûr, que vous n'aimiez pas cet auteur, ce qui serait dommage ! Un petit effort de votre part devrait vous permettre de tirer meilleur profit de ce livre !

Si vous avez obtenu moins de 15 points : de toute évidence, Maupassant n'est pas votre auteur préféré ! Ce qui est votre droit. Peut-être aurez-vous envie de le relire un peu plus tard ? C'est ce qu'il faut souhaiter, car il serait dommage que vous ne profitiez pas mieux de la lecture de ces nouvelles, dont certaines comptent parmi les chefs-d'œuvre du genre.

La guerre de 1870
(p. 192)

1 : Vrai.
La Prusse, en la personne de Bismarck, avait tout fait pour pousser la France à lui déclarer la guerre. La publication tronquée de la célèbre dépêche d'Ems, dans laquelle Guillaume Ier, roi de Prusse, refusait de prendre en compte les demandes de la France concernant l'avenir du trône d'Espagne, entraîna l'ouverture des hostilités.
2 : Vrai.
La France vit alors sous le second Empire, mais à la suite des défaites françaises face aux Prussiens, la déchéance de Napoléon III est votée à Paris et la république proclamée.

3 : Faux.
Il se produisit exactement le contraire : la défaite de la France entraîna l'annexion de l'Alsace-Lorraine par la Prusse, annexion qui dura jusqu'à la fin de la Première Guerre mondiale.

4 : Faux
Les Parisiens, en effet, se battirent avec courage, mais ils ne remportèrent pas la victoire. Lorsque l'armistice fut signé, le 28 janvier 1871, la Prusse était victorieuse.

5 : Faux.
La guerre fut déclarée le 19 juillet 1870, et la France signa l'armistice qui consacrait la victoire de la Prusse le 28 janvier 1871.

Amis croisés
(p. 193)

1 : Camisole - 2 : Amidon - 3 : Ramifier - 4 : Camion - 5 : Laminer - 6 : Famille - 7 : Ramier - 8 : Calamité - 9 : Salami - 10 : Estaminet

Le voleur caché
(p. 195)

Horizontalement
I : Marasme - II : Eau. Air - III : Noter - IV : Crédule - V : Laser - VI : Ur. Sein - VII : Nés. Son

Verticalement
1 : Mesclun - 2 : Aa. Rare - 3 : Runes - 4 : Odes - 5 : Saturés - 6 : Miel. Io - 7 : Erre. Nn

Le voleur à découvrir était MANDRIN, célèbre bandit du XVIIIe siècle, qui devint un héros populaire.

Pages mélangées
(p. 200)

Ce texte, comprend des extraits mélangés des pages 63 et 75.

Terreur dans la grille
(p. 208)

Horizontalement
I : Délires - II : Érigera - III : Nia. Cor - IV : Tc. CRS - V : Pau - VI : Et. Vélo - VII : Rudes

Verticalement
1 : Dentier - 2 : Éric. Tu - 3 : Lia - 4 : Ig. Cave - 5 : Recrues - 6 : Éros - 7 : SAR (Son Altesse Royale). Boa

L'horrible personnage à découvrir était DRACULA !

Mots croisés de la fin
(p. 211)

Horizontalement
I : Marambot (cf. *Denis*) - II : Avis - III : Ia. Tonna - IV : Trou. Hic - V : Rincée - VI : Ec. Épuré - VII : Essorés

Verticalement
1 : Maître - 2 : Avarice - 3 : Ri. On - 4 : Astuces - 5 : Épo - 6 : Bonheur - 7. Ni. Ré - 8 : Tracées